Angelo Lameri

ALLA RICERCA
DEL FONDAMENTO TEOLOGICO
DELLA PARTECIPAZIONE ATTIVA
ALLA LITURGIA

IL DIBATTITO NELLA COMMISSIONE LITURGICA
PREPARATORIA DEL CONCILIO VATICANO II

Con testi inediti di
G. Bevilacqua, P. Jounel, A.-M. Roguet, K. Rahner

EDIZIONI LITURGICHE

CLV-EDIZIONI LITURGICHE
Via Pompeo Magno, 21 - 00192 Roma

Tel. 063216114
e-mail: clv@cmroma.it

Fax 063221078
http://www.chiesacattolica.it/clv

PRESENTAZIONE

Il tema della partecipazione attiva di tutti i fedeli alla celebrazione liturgica costituisce uno dei cardini pastorali della Costituzione liturgica conciliare, la ragione e il criterio fondamentali della riforma che ne è seguita. Il movimento liturgico, nei decenni precedenti il Concilio Vaticano II, si era fatto promotore di un riavvicinamento del popolo di Dio alla liturgia e della liturgia al popolo, in modo che ogni fedele avesse la possibilità di attingere dalla partecipazione attiva alla celebrazione dei santi misteri, come a fonte sua propria, il vero spirito cristiano.

Tra le riflessioni e i dibattiti che videro protagonisti i membri e i consultori della « Pontificia commissio de sacra liturgia praeparatoria Concilii Vaticani II » appare quindi la questione « De fidelium participatione in sacra liturgia », che impegnò una delle tredici sottocommissioni nelle quali era articolata la Commissione liturgica.

In continuità con il mio precedente contributo alla storia della redazione della Costituzione Sacrosanctum Concilium *(A.* LAMERI, *La « Pontificia Commissio de sacra liturgia praeparatoria Concilii Vaticani II ».* Documenti, Testi, Verbali, *CLV-Edizioni liturgiche, Roma, 2013), offro alla comunità scientifica questa seconda pubblicazione, che rende disponibili agli studiosi altri testi, finora inediti, che caratterizzarono il lavoro preparatorio.*

Si tratta di relazioni richieste e presentate alla Commissione da alcuni membri della stessa (P. Jounel, G. Bevilacqua) e da teologi esterni ai quali venne richiesto un contributo (K. Rahner e A.-M. Roguet, cooptato successivamente nella Commissione), alle quali si aggiungono alcune lettere dei protagonisti del dibattito sulla partecipazione attiva dei fedeli alla liturgia e sul suo fondamento teologico.

Il saggio con il quale introduco i documenti aiuterà a collocarli nel loro contesto e a comprendere meglio il percorso seguito dalla sottocommissione « de participatione », unitamente alle diverse posizioni e prospettive che, in spirito di comunione ecclesiale, si sono confrontate per giungere a una proposta, condivisa pressoché all'unanimità, presentata poi all'attenzione e al dibattito dei Padri del Concilio.

Incoraggiato dalla positiva accoglienza della precedente pubblicazione, spero che anche questo lavoro possa giovare a una conoscenza più puntuale e a una riflessione più documentata su un tema che rimane, teologicamente e pastoralmente, rilevante.

Roma, 15 aprile 2016

Angelo LAMERI

ABBREVIAZIONI

AAS	*Acta Apostolicae Sedis* (Città del Vaticano, 1908-).
ASV	Archivio Segreto Vaticano, Città del Vaticano.
CAL	Centro di Azione Liturgica, Roma.
CLV	Centro Liturgico Vincenziano, Roma.
DH	H. DENZINGER, *Enchiridion symbolorum, definitionum et declarationum de rebus fidei et morum*, a cura di P. HÜNER-MANN, Dehoniane, Bologna, 2001[4].
LMD	*La Maison-Dieu* (Paris, 1945-).
PCP	A. LAMERI, *La « Pontificia Commissio de sacra liturgia praeparatoria Concilii Vaticani II ». Documenti, Testi, Verbali*, CLV-Edizioni liturgiche, Roma, 2013 (= *Bibliotheca « Ephemerides Liturgicae » « Subsidia »* 168).
SC	Concilio ecumenico Vaticano II, Costituzione sulla sacra liturgia *Sacrosanctum Concilium*.
ZkTh	*Zeitschrift für katholische Theologie* (Wien, 1879-).

« DE FIDELIUM PARTICIPATIONE IN SACRA LITURGIA »
IL DIBATTITO NELLA COMMISSIONE LITURGICA
PREPARATORIA DEL CONCILIO VATICANO II

1. La questione della partecipazione attiva prima del Concilio Vaticano II

Tra i temi cari al movimento liturgico è senza dubbio da annoverare quello della « partecipazione » di tutti i fedeli alla liturgia. Il dibattito si è mosso tra due ambiti entrambi significativi: la ricerca della fondazione teologica di questa partecipazione e la sua concretizzazione pastorale.

Il noto slogan « portare la liturgia al popolo e il popolo alla liturgia » trova le sue remote radici fin dalla vigilia del Concilio Lateranense V (1514-1516), quando due monaci camaldolesi, Giustiniani e Quirini, presentarono a papa Leone X un *Libellus*[1], nel quale, in riferimento alle questioni liturgiche, suggerivano l'introduzione della lingua volgare per favorire la partecipazione e l'istruzione del popolo[2].

In epoca più recente, il beato A. Rosmini apre la sua notissima opera *Delle cinque piaghe della santa Chiesa*[3] proprio con la piaga della mano sinistra « che è la divisione del popolo dal Clero nel pubblico culto »[4]. Alcuni decenni più tardi, al Congresso di Malines (1909), che molti storici del movimento liturgico considerano come la data di nascita del movimento stesso[5], Lambert Beauduin dichiarava:

> Secondo me, una, se non addirittura la maggiore, delle cause dell'ignoranza religiosa è l'ignoranza liturgica... Rendere ai fedeli l'intelligenza e quindi l'amore dei misteri che si celebrano all'altare; rimettere nelle loro mani il messale, che è stato sostituito da tanti libri volgari e mediocri: ecco

---

[1] EREMITI CAMALDOLESI DI MONTECORONA (a cura), *Un eremita al servizio della Chiesa. Il Libellus ad Leonem X e altri opuscoli*, San Paolo, Cinisello Balsamo, 2012.

[2] « Perciò, se, per tua iniziativa, si ordinerà che ciò che viene letto e salmeggiato nelle chiese venga letto e salmeggiato – o dappertutto o almeno in qualche regione – in lingua volgare, riteniamo che una cosa del genere gioverà in modo straordinario alla conoscenza dei divini precetti e all'emendazione dei costumi » (EREMITI CAMALDOLESI, *Un eremita*, p. 156).

[3] A. ROSMINI, *Delle cinque piaghe della santa Chiesa*, Testo ricostruito nella forma ultima voluta dall'Autore con un saggio introduttivo e note di NUNZIO GALANTINO, San Paolo, Cinisello Balsamo, 1997.

[4] ROSMINI, *Delle cinque piaghe*, pp. 117-137.

[5] Cf. B. BOTTE, *Il movimento liturgico. Testimonianza e ricordi*, Effatà editrice, Cantalupa, 2009, p. 29.

la maniera migliore d'insegnare la religione, di tenere uniti alla Chiesa coloro che ancora vi entrano, e di riportarvi quelli che l'hanno abbandonata[6].

Alle soglie del ventesimo secolo giunge il primo intervento del magistero pontificio, che utilizza e promuove il termine « partecipazione », congiunto al suo tipico aggettivo « attiva »[7]. San Pio X, infatti, con il suo *Motu proprio* « Tra le sollecitudini » (1903) ne canonizzò l'uso:

> Essendo infatti nostro vivissimo desiderio che il vero spirito cristiano rifiorisca in tutti i modi e si mantenga nei fedeli tutti, è necessario provvedere prima di ogni altra cosa alla santità e alla dignità del tempio, dove appunto i fedeli si radunano per attingere tale spirito dalla sua prima e indispensabile fonte, che è la *partecipazione attiva* ai sacrosanti Misteri e alla preghiera pubblica e solenne della Chiesa[8].

È fondamentale l'intuizione di Pio X che istituisce il nesso tra la rinascita dello spirito cristiano e la partecipazione attiva alla liturgia, come sua « prima e indispensabile fonte »: si tratta di un'idea che verrà sempre più condivisa dal movimento liturgico, anche se in quei tempi essa non fu sempre pienamente compresa[9]. Non è questa la sede per esplorare approfonditamente le vicende del movimento liturgico. Può essere però significativo accennare all'impegno di natura pastorale che segnò il movimento in Italia[10], dove sono particolarmente significativi tutti quei tentativi per favorire la partecipazione dei fedeli alla Messa. A Roma i Missionari del

---

[6] L. BEAUDUIN, "La vraie prière de l'Église", in *Malines 23-26 septembre 1909, Congrès catholique, Ve Section, Oeuvres scientiphiques, artistiques et litteraires,* Goemare, Bruxelles [senza data], pp. 1-6.

[7] Cf.: G. CAVAGNOLI, "La partecipazione attiva", in *Rivista di pastorale liturgica* 228 (2001/5) 26-36.

[8] PIO X, "Tra le sollecitudini", in *Acta Sanctae Sedis,* 34 (1903-1904) 325-339 (testo citato, p. 331).

[9] Per un puntuale commento cf. F. RAINOLDI, *Traditio canendi. Appunti per una storia dei riti cristiani cantati,* CLV-Edizioni Liturgiche, Roma, 2000 (= *Bibliotheca « Ephemerides Liturgicae » « Subsidia »* 106; *Studi di Liturgia* 38), pp. 506-518.

[10] Per approfondire questo aspetto rimandiamo a: F. BROVELLI, (a cura), *Ritorno alla liturgia. Saggi di studio sul movimento liturgico,* CLV-Edizioni Liturgiche, Roma, 1989 (= *Bibliotheca « Ephemerides Liturgicae » « Subsidia »* 47; *Studi di Liturgia* 18). ID., *Liturgia: temi e autori. Saggi di studio sul movimento liturgico,* CLV-Edizioni Liturgiche, Roma, 1990 (= *Bibliotheca « Ephemerides Liturgicae » « Subsidia »* 53; *Studi di Liturgia* 20). O. ROUSSEAU, *Storia del movimento liturgico. Lineamenti storici dagli inizi del secolo XIX ad oggi,* Paoline, Roma, 1961. A. LAMERI, *L'attività di promozione liturgica dell'opera della regalità (1931-1945). Contributo allo studio del movimento liturgico italiano,* Ed. OR, Milano, 1992. A. PARATI, *Pionieri del movimento liturgico. Cenni storici,* Libreria Editrice Vaticana, Città del Vaticano, 2004; F. TROLESE (a cura), *La liturgia nel XX secolo: un bilancio,* EMP, Padova, 2006.

Sacro Cuore pubblicano *Il foglietto della domenica*, proprio con lo scopo di aiutare il popolo all'assistenza della Messa festiva; a Genova la congregazione mariana parrocchiale di San Giovanni di Prè pubblica nel 1915 *Preghiere per la S. Messa*, che parafrasano il testo della Messa adattandolo allo spirito dei giovani. Sempre a Genova un'ulteriore iniziativa degna di nota fu realizzata da mons. Moglia, che nel 1912 stampò a titolo personale un volantino per la partecipazione alla Messa. L'intuizione continuò anche durante la prima guerra mondiale dove il Moglia, cappellano militare, la sperimentò, con diffusione però molto irregolare, tra i soldati. Mons. Moglia nel 1930 fondò a Genova l'Apostolato Liturgico con lo scopo di allargare nei diversi settori in cui era articolato (sacerdoti, giovani e signorine) il lavoro di formazione e di apostolato, dando sviluppo ad iniziative di ampio respiro. Ben presto il centro dell'Apostolato Liturgico divenne ricco di attività. Tra queste va segnalato il primo Congresso Liturgico Nazionale che si tenne a Genova nel 1934. In mons. Moglia era viva la convinzione del valore della liturgia come partecipazione alla vita della Chiesa e come efficace mezzo di apostolato. Sulla stessa direttiva di marcia procede poi il trevigiano don Francesco Tonolo, famoso per le sue iniziative liturgico-pastorali tra le quali segnaliamo "la crociata della Messa", tesa a creare nella parrocchia un movimento intenso di partecipazione alla Messa quotidiana. L'obiettivo più profondo dell'iniziativa fu quello di fare in modo che il cristiano rendesse la Messa il centro della propria vita. Per realizzare questo suo intento il Tonolo era convinto che fosse necessario ridare il Messale nelle mani del popolo. Tra le attività delle associazioni cattoliche segnaliamo quelle della Gioventù Femminile di Azione Cattolica, il cui consiglio superiore operò la scelta dell'educazione liturgica delle giovani. È sicuramente degna di menzione la meritoria opera di promozione e di apostolato liturgico dell'Opera della Regalità. L'Opera, fondata da P. Agostino Gemelli e approvata dalla Santa Sede nel 1928, annoverò ben presto tra le sue attività l'apostolato liturgico, attraverso numerose iniziative e pubblicazioni. In modo particolare, oltre alle settimane liturgiche parrocchiali, agli esercizi spirituali a carattere liturgico, ai convegni liturgico-pastorali che continuano ancora oggi, è da segnalare « La Santa Messa per il popolo italiano ». Si tratta di una semplice pubblicazione settimanale, che a partire dal 1931 fino al 1945, ha accompagnato migliaia di fedeli nella loro partecipazione e comprensione della celebrazione eucaristica, dei suoi testi, dei suoi gesti e riti. Un organismo benemerito nella promozione della liturgia in Italia è senz'altro costituito dal Centro di Azione Liturgica, fondato nel 1947. Tra i suoi presidenti citiamo mons. Carlo Rossi, vescovo di Biella e membro della Commissione liturgica preparatoria del

Concilio Vaticano II. Lo scopo del CAL, fin dal suo primo statuto del 1949, fu quello di dare incremento e aiuto al movimento liturgico in Italia in sintonia con le direttive della Santa Sede e della Conferenza Episcopale Italiana.

Il tema della partecipazione attiva troverà ulteriore sviluppo e approfondimento con la nota enciclica *Mediator Dei* (1947) di Pio XII. Egli riprende e affina la terminologia nel contesto della parte dedicata al culto eucaristico[11]. In essa si afferma che la partecipazione dei fedeli si colloca a tre livelli: esterna, interna e sacramentale. Il primo livello è costituito dal semplice essere presente all'azione sacra. Il secondo si ha quando alla partecipazione esterna si aggiungono le disposizioni interiori, la pia attenzione dell'animo e del cuore: in questo modo i fedeli si uniscono intimamente a Cristo e questa loro partecipazione (esterna + interna) diviene "attiva" perché li unisce « intimamente al sommo Sacerdote... e con Lui e per Lui offrono il sacrificio, sacrificandosi con Lui ». Occorre però notare che l'enciclica fa consistere questa partecipazione nell'imitazione di Cristo e dei suoi sentimenti, ponendo l'azione dei fedeli più su un piano psicologico che misterico. Il terzo livello – la partecipazione sacramentale, il fare la Comunione – rende « perfetta » la partecipazione attiva. Secondo l'acuta analisi di Enrico Mazza, l'enciclica fonda tutta la sua argomentazione sull'opera della redenzione di Cristo, intesa come azione "sacerdotale":

> Poiché l'opera di Cristo è tutta un atto sacerdotale, e poiché nel mondo la Chiesa continua l'opera di Cristo, ecco la necessità che nella Chiesa ci sia il sacerdozio, che è quello della gerarchia ecclesiastica. Ne consegue che l'opera della Chiesa è continuazione dell'opera di Cristo proprio perché la Chiesa è condotta dai sacerdoti, a cominciare dalle azioni liturgiche [...]. Da qui un'altra conclusione: la liturgia è un'azione del sacerdote ed è azione del popolo riunito solo perché il sacerdote è il suo rappresentante[12].

La partecipazione dei fedeli alla liturgia consiste allora nel loro unirsi al sacerdote che compie l'azione. L'unione avviene attraverso l'*offrire* assieme al sacerdote. Anche se i fedeli non godono della *potestas* sacerdotale, la loro offerta avviene attraverso alcune azioni: la recita delle varie formule/risposte liturgiche in dialogo o assieme al sacerdote, l'offerta-elemosina della Messa e, a livello interiore, con l'avere gli stessi sentimenti di Gesù Cristo. La partecipazione sacramentale infine, pur importate e affermata, non è intesa come essenziale alla partecipazione attiva.

---

[11] PIO XII, "Mediator Dei", in *AAS* 39 (1947) 521-600.

[12] E. MAZZA, "La partecipazione attiva alla liturgia. Dalla *Mediator Dei* alla *Sacrosanctum Concilium*", in *Ecclesia Orans* 30 (2013) 315-316.

Pio XII infatti si pone in linea con la posizione tomista « che afferma che la comunione non appartiene alla natura del sacramento poiché questo può sussistere anche senza di essa »[13].

Il tema della partecipazione viene ripreso il 3 settembre 1958, quando la Sacra Congregazione dei Riti pubblica l'Istruzione *De Musica sacra et sacra Liturgia*[14]. In essa si esprime la necessità di intensificare l'impegno pastorale in ordine alla partecipazione dei fedeli alla Messa:

> Sedulo curandum est, ut fideles, non tamquam extranei vel muti spectatores[15] Missae quoque lectae intersint, sed illam praestent participationem, quae a tanto mysterio requiritur, et quae uberrimos affert fructus (n. 28).

Al tempo stesso si cerca di indicare anche un fondamento a questo orientamento pastorale: « Missa natura sua postulat, ut omnes adstantes, secundum modum sibi proprium, eidem participent » (n. 22). La necessità di curare la partecipazione attiva dei fedeli risiede quindi nella natura stessa della Messa, che come affermerà il rinnovato codice delle rubriche del 25 luglio 1960[16] è un atto del culto pubblico a motivo del quale « denominatio "Missae privatae" vitetur »[17]. Lo stesso codice riafferma che è la natura stessa della Messa che esige la partecipazione e rimanda alla citata Istruzione del 1958 per le modalità pratiche della sua attuazione[18].

2. La formulazione della « quaestio » e l'avvio del dibattito

Siamo così giunti alla soglia della fase preparatoria del Concilio. Come abbiamo già avuto modo di mostrare in un nostro precedente studio, i riferimenti al movimento liturgico e alle sue istanze sono presenti fin

---

[13] MAZZA, "La partecipazione attiva", p. 320.

[14] SACRA CONGREGATIO RITUUM, "Instructio de Musica sacra et sacra Liturgia", in *AAS* 50 (1958) 630-663.

[15] Notiamo che l'espressione « non tamquam extranei vel muti spectatores », che verrà ripresa anche dalla Costituzione liturgica del Vaticano II, risale a tre decenni prima, utilizzata da Pio XI nella Costituzione apostolica *Divini cultus* del 20 dicembre 1928, dedicata alla liturgia e al canto gregoriano: « Ac revera pernecesse est ut fideles, non tamquam extranei vel muti spectatores, sed penitus liturgiae pulchritudine affecti, sic caerimoniis sacris intersint – tum etiam cum pompae seu processiones, quas vocant, instructo cleri ac sodalitatum agmine, aguntur – ut vocem suam sacerdotis vel scholae vocibus, ad praescriptas normas, alternent; quod si auspicato contingat, iam non illud eveniet ut populus aut nequaquam, aut levi quodam demissoque murmure communibus precibus, liturgica vulgarive lingua propositis, vix respondeat » (*AAS* 21 [1929] 40).

[16] SACRA CONGREGATIO RITUUM, "Rubricae Breviarii et Missalis Romani", in *AAS* 52 (1960) 597-685.

[17] "Rubricae Breviarii et Missalis Romani", n. 269.

[18] "Rubricae Breviarii et Missalis Romani", n. 272.

dall'esordio dei lavori della Commissione preparatoria « De sacra Liturgia »[19]. Nella redazione delle *Quaestiones* da sottoporre ad accurato studio non manca infatti il riferimento esplicito al tema della partecipazione, che sarà assegnato alla *quaestio* VIII, che diventerà poi la IX a seguito dell'introduzione del « De mysterio sacrae Liturgiae eiusque relatione ad vitam Ecclesiae »[20].

La *quaestio* fin dalla sua prima formulazione inviata a tutti i membri e consultori della Commissione il 13 ottobre 1960 indicava la necessità di proporre i fondamenti teologici e liturgici del sacerdozio dei fedeli laici. Nell'edizione del 12 novembre, rivista dopo le prime risposte inviate dai membri della Commissione, è da segnalare la scomparsa dell'aggettivo "laici". Il sacerdozio dei fedeli infatti è comune a ogni battezzato. Lo sviluppo della *quaestio* poi rafforza il verbo « applicentur » di quei principi in « in praxi applicari debeant ». E, al *Sacrificium*, *Sacramenta* e *Sacramentalia*, si aggiunge « in Officio divino ». La sinossi delle successive redazioni mostra queste variazioni[21]:

13 ottobre 1960	12 novembre 1960	15 novembre 1960
VIII. DE FIDELIUM PARTICIPATIONE IN SACRA LITURGIA	VIII. DE FIDELIUM PARTICIPATIONE IN SACRA LITURGIA	IX. DE FIDELIUM PARTICIPATIONE IN SACRA LITURGIA
a) Sacerdotii fidelium laicorum theologica et liturgica fundamenta.	a) Sacerdotii fidelium theologica fundamenta exponatur.	a) Sacerdotii fidelium theologica fundamenta exponatur.
b) Qua ratione eadem applicentur ad Sacrificium, Sacramenta, Sacramentalia.	b) Qua ratione eadem principia in praxi applicari debeant ad fidelium participationem in Missae Sacrificio, in Sacramentis et Sacramentalibus, in Officio divino.	b) Qua ratione eadem principia in praxi applicari debeant ad fidelium participationem in Missae Sacrificio, in Sacramentis et Sacramentalibus, in Officio divino.

---

[19] Cf. A. LAMERI, "La redazione del testo di Sacrosanctum Concilium: la fase preparatoria", in J.M. FERRER GRENESCHE, *"Sacrosanctum Concilium"*. *Gratitudine e impegno per un grande movimento di comunione ecclesiale*, Libreria Editrice Vaticana, Città del Vaticano, 2015, pp. 61-80.

[20] Per la documentazione relativa ai lavori della Commissione conciliare preparatoria rimandiamo al volume A. LAMERI, *La « Pontificia Commissio de sacra liturgia praeparatoria Concilii Vaticani II »*. *Documenti, Testi, Verbali*, CLV-Edizioni Liturgiche, Roma, 2013 (= *Bibliotheca « Ephemerides Liturgicae » « Subsidia »* 168). D'ora in avanti sarà citato con PCP, seguito dall'indicazione delle pagine.

[21] Cf. PCP, p. 62.

La sottocommissione a cui fu affidata la *quaestio*, presieduta dal relatore, abate Giovanni B. Cannizzaro (Genova), era composta dal segretario Pierre Jounel (Francia) e da Mons. Carlo Rossi (vescovo di Biella), P. Giulio Bevilacqua (oratoriano di Brescia), Mons. Michael Pflieger (Vienna), P. Lucas Brinkhoff (frate minore olandese), P. Godfrey Diekmann (benedettino americano di Collegeville)[22].

Le fasi del lavoro e le varie discussioni che hanno animato la sottocommissione trovano la loro sintesi nella relazione introduttoria[23] alla presentazione dello schema, che il relatore A.-M. Roguet, nominato dopo l'improvvisa morte dell'abate Cannizzaro, tiene alla sessione plenaria della Commissione preparatoria svoltasi a Roma dal 12 al 24 aprile 1961. Da questo testo conosciamo che gli incontri della sottocommissione furono due a cui ne seguì un terzo, ristretto alla partecipazione del relatore e del segretario. Il primo incontro si svolse a Roma il 14 novembre 1960 all'abbazia di Sant'Anselmo. In esso si decise che i vari componenti avrebbero lavorato al tema, inviando al relatore le loro considerazioni entro il 15 gennaio 1961. Il secondo incontro si tenne sempre a Roma presso Sant'Anselmo nei giorni 9 e 10 febbraio 1961[24]. In quei giorni avvenne un primo confronto sulle considerazioni giunte al relatore. P. Cannizzaro rende noto che entro la data stabilita giunsero tre testi[25]. Su questi « Acrior disputatio exorta est ». Infatti:

> Ex his, duo favebant principio sacerdotii fidelium ut theologico fundamento eorum participationis ad liturgiam[26]. Tertia dissertatio[27] recusabat hoc fundamentale principium, et praebebat huius participationis pertinentiam ad Corpus Christi per baptismum factam[28].

Al termine della discussione, la sottocommissione decise di non trattare immediatamente la questione del sacerdozio dei fedeli, ma di incaricare il relatore di chiedere l'istituzione di una commissione mista con esperti della Commissione teologica e dell'apostolato dei laici[29]. Accantonata per

---

[22] PCP, p. 56.

[23] Cf. il testo in PCP, pp. 185-188.

[24] Risultano assenti P. Bevilacqua, P. Diekmann e Mons. Pfliger. Ai presenti si aggiunsero Mons. Spuelbeck e P. Bugnini, segretario generale della Commissione liturgica preparatoria (PCP, p. 185).

[25] Bevilacqua [9], Jounel [11] e probabilmente lo stesso Cannizzaro, anche se di questa relazione non ci è stato possibile ritrovare il testo. D'ora in avanti i numeri tra parentesi [ ] rimandano ai rispettivi documenti posti nell'appendice di questo volume.

[26] È la posizione di Bevilacqua, condivisa da Cannizzaro.

[27] È la tesi di Jounel.

[28] PCP, pp. 185-186.

[29] Fin dall'inizio dei lavori della fase preparatoria venne infatti prevista la possibilità di istituire commissioni miste per quelle questioni che avrebbero richiesto una riflessione interdi-

il momento la questione del fondamento teologico, la discussione si focalizzò attorno ad alcuni aspetti pratici del principio della partecipazione attiva. Adempiendo il mandato della sottocommissione, il 22 febbraio 1961 il relatore inviò a P. Bugnini un *memorandum* [1] con il quale chiedeva l'istituzione di un *coetus* tripartito: Commissione liturgica, teologica e dell'apostolato dei laici. Il 1 marzo successivo P. Bugnini inoltra la richiesta a P. Tromp, segretario della Commissione teologica[30], che sottopone la questione al presidente, card. Ottaviani, dal quale riceve indicazione « ut habeatur sessio combinata Subcommisionum de fontibus et de deposito ad videndum quid respondeatur »[31]. La riunione congiunta ebbe luogo il successivo 8 marzo:

> Vespere sessio mixta Subcommissionis de Fontibus et de Deposito, quid respondendum sit secretario Commissionis liturgicae de fundamento ontologico participationis in Liturgia. Omnes: Garofalo, Ciappi, v.d.Eynde, Cerfaux, Dhanis consentiunt cum secretario tale studium non spectare ad Concilium. Procedat Comm. Liturgica ex Encyclica de Liturgia[32].

La risposta negativa della Commissione teologica viene comunicata a P. Bugnini da P. Tromp il 14 marzo 1961:

> Facta autem in Commissione Liturgica constitutione "de participatione fidelium in S. Liturgia" vel aliis huius generis, eam secundum desiderium Sanctitatis D.N. Johannis XXIII mittere velis ad hanc Commissionem Theologicam ut, unice quod ad theologica spectat, revideatur »[33] [3].

---

sciplinare. A tal proposito la Commissione centrale aveva emanato delle norme specifiche (cf. PCP, p. 83). Tali norme furono proposte dal cardinale Mimmi e sottoposte da mons. Felici, segretario della Commissione centrale, anche a Staffa, Samorè e Philippe, consiglieri della stessa Commissione (cf. V. CARBONE, *Il "Diario" conciliare di Monsignor Pericle Felici Segretario Generale del Concilio Ecumenico Vaticano II*, Libreria Editrice Vaticana, Città del Vaticano, 2015, p. 263).

[30] Cf. A. VON TEUFFENBACH, "La Commissione teologica preparatoria del Concilio Vaticano II", in *Anuario de Historia de la Iglesia*, 21 (2012) 219-243.

[31] A. VON TEUFFENBACH (Heraugegeben), *Sebastian Tromp S.J. Konzilstagebuch mit Erläuterungen und Akten aus der Arbeit der Theologischen Kommission. II. Vatikanisches Konzil*, Bd. I/1 und I/2 (1960-1962), Pontificia Università Gregoriana, Roma, 2006, p. 189. Precisamente le sottocommissioni da coinvolgere sono la « De fontibus Revelationis » e la « De deposito fidei pure custodiendo ».

[32] VON TEUFFENBACH, *Sebastian Tromp*, p. 191.

[33] Non è la prima volta che P. Bugnini si rivolge alla Commissione teologica. Anche a proposito del tema della concelebrazione nei diari di P. Tromp (7 gennaio 1961) abbiamo testimonianza di un confronto: « Postea venit Rev.mus D. Han. Bugnini, secr. Comm. Liturg. Ut ageret de concelebratione. Dixit suam commissionem de hac re agere velle tantum modo disciplinari, supponendo concelebrationem proprie dictam, ut habetur communiter in Ecclesiis orientalibus et in Ecclesia latina occasione ordinationis sacerdotalis. Nullo modo vult tractare de quaestione, num celebratio sit valida, si sacerdotes concelebrantes non voce sed intentione

L'ultimo incontro avvenne a Genova il 13 e 14 marzo 1961. Vi parteciparono solo l'abate Cannizzaro e il segretario Jounel. In esso i due si dedicarono alla redazione finale dello schema da presentare nella sessione plenaria con un arricchimento riguardante le questioni pratiche, anche se « R.mus Relator sperabat semper se posse exponere theologiam sacerdotii fidelium ut fundamentum eorum participationis, et recusavit ne alia ratio praeberetur »[34]. Purtroppo al calar della sera del 14 marzo l'abate Cannizzaro morì.

3. Alla ricerca del fondamento teologico

Come emerge da quanto fin qui presentato, la *quaestio* « de participatione » si proponeva non solo di indicare quali buone prassi mettere in atto perché i fedeli potessero prendere parte alla liturgia non come muti spettatori, ma anche di andare alla ricerca del fondamento teologico di questa partecipazione, che già durante il pontificato di Pio XII si riteneva richiesta dalla natura stessa della liturgia, in specie della celebrazione eucaristica. Il relatore P. Cannizzaro era fortemente convinto della necessità di indicare un solido fondamento teologico, tanto che fino all'ultimo respiro questo desiderio non fu da lui accantonato.

D'altra parte la stessa formulazione della *quaestio* andava in questa direzione, anzi sembrava avesse già fatto una scelta individuando nel sacerdozio dei fedeli la radice e la ragione di ogni attiva partecipazione alla liturgia. Ma proprio su questo aspetto nascono le divergenze tra i membri della sottocommissione. Come esposto da A.-M. Roguet nel corso della sessione plenaria della « Pontificia Commissio de sacra liturgia praeparatoria », emergono due diverse posizioni.

---

tantum dicunt verba consecrationis. Quare Commissio Theologica non intrat. Vespere in officio sessio Subcommissionis de Deposito. Post sessionem adii Em. Cardlem Praesidem. Approbavit responsa mane data Secretariis Comm. De disciplina cleri et De liturgia » (VON TEUFFENBACH, *Sebastian Tromp*, p. 147). Notiamo infine che la Commissione teologica si mostrava poco propensa a costituire commissioni miste. Lo attesta anche la risposta negativa alla richiesta, presentata ben due volte (28 gennaio 1961 e 23 febbraio 1961) da mons. Willebrands, segretario del Segretariato « pro unione christianorum », a proposito di chi può essere considerato membro della Chiesa, dell'indole dell'ufficio episcopale e della posizione dei laici nella Chiesa. Tromp risponde: « dixi commissionem mixtam ex Commissione Theologica et Secretariatu pro unione fieri non posse; cum re dogmaticae spectent exclusive ad Commissionem Theologicam. Quod si vero Secretariatus pro unione velit Commissioni Theologicae dare vota supra tria capita supra enuntiata, me ea libenter accepturum: immo etiam de hac re haberi posse colloquium amicevolum » (VON TEUFFENBACH, *Sebastian Tromp*, p. 179, cf. anche p. 159 e 161).

[34] PCP, p. 186.

a) *La tesi di Giulio Bevilacqua*

La prima è bene espressa da padre Giulio Bevilacqua[35] nella relazione presentata diligentemente per iscritto, come richiesto ai componenti della sottocommissione [9].

Egli articola il suo contributo in tre parti, che corrispondono a due punti della *quaestio*: « Sacerdotii fidelium theologica fundamenta exponatur » e « Qua ratione eadem principia in praxi applicari debeant fidelium participatione ». A questi Bevilacqua aggiunge un terzo aspetto dedicato alla prassi della partecipazione al sacrificio della Messa, ai sacramenti, ai sacramentali e all'Ufficio divino. Per il momento ci soffermiamo sulla prima parte. Egli sostiene che i fedeli devono partecipare al culto

> quali sacerdoti nel loro Ordine e nel tutto Ecclesiale, avvicinandosi così al Sommo Sacerdote Cristo, Pietra vivente, non come spettatori passivi, ma "quali pietre viventi edificati come edificio spirituale per un Sacerdozio santo allo scopo di offrire vittime spirituali bene accette a Dio per mezzo di Gesù Cristo" (*1 Pt* 2, 4-5. 9-10).

Il punto di partenza di Bevilacqua è Gesù Cristo, che in virtù dell'unione ipostatica – « pleroma della Divinità e pleroma dell'Umanità » – è costituito sommo sacerdote e liturgo, unico Mediatore di grazia e di salvezza. Questo sacerdozio di Cristo è partecipato a tutte le membra del Corpo di Cristo. Tale partecipazione si realizza su due piani distinti. Mediante l'Ordine sacro Cristo istituì un sacerdozio ministeriale,

---

[35] Giulio Bevilacqua nasce il 14 settembre 1881 a Isola della Scala (Verona). Presto la famiglia si trasferisce a Brescia e il giovane Giulio frequenta l'Oratorio filippino della Pace fin dal 1896. A lasciare una traccia indelebile sulla sua formazione teologica e soprattutto "cristocentrica" sono la frequentazione dell'università di Lovanio (1902-1905) e gli insegnamenti del futuro primate del Belgio, il cardinale François Joseph Mercier. Venne ordinato sacerdote il 13 giugno 1908. In seguito alle sue critiche al regime fascista, nel 1926 fu costretto a lasciare Brescia. Entrò al servizio della Santa Sede come consultore della Congregazione per i Religiosi. Negli anni romani ebbe modo di conoscere e stringere fraterna amicizia con mons. Montini, allora minutante della Segreteria di Stato. Il nome e l'impegno culturale di Bevilacqua diventa noto in Italia per il suo impegno sociale e culturale: tante sono infatti le prefazioni firmate per i libri pubblicati dalla editrice Morcelliana: di R. Guardini (*Lo spirito della liturgia*), di K. Adam (*L'essenza del cristianesimo*) o di M. Thurian (*Maria madre del Signore immagine della Chiesa*). Mons. Montini, divenuto papa Paolo VI, lo considera amico e consigliere fidato. Lo vediamo al fianco di Paolo VI nel suo storico viaggio in Terra Santa nel gennaio 1964. Pochi mesi dopo, il 22 febbraio 1965, viene creato cardinale con la possibilità conservare l'ufficio di semplice parroco. Muore a Brescia il 6 maggio 1965. Alle sue esequie il card. Giovanni Colombo, arcivescovo metropolita di Milano, dirà: « fu in grado di approfondire, vivere e predicare il mistero di Cristo ». Cf. G. STELLA, "Il pensiero religioso di P. Giulio Bevilacqua", in C. GHIDELLI (a cura), *Teologia, liturgia, storia. Miscellanea in onore di Carlo Manziana Vescovo di Crema*, La Scuola – Morcelliana, Brescia, 1977, pp. 411-450.

differenziato e gerarchico, delegato quindi non dalla comunità, ma da Cristo stesso, per portare i frutti del Mistero pasquale al popolo di Dio attraverso l'Eucaristia e i sacramenti. Mediante la consacrazione battesimale abbiamo invece un sacerdozio per il quale ogni cristiano partecipa al Sacrificio, può autoamministrarsi il sacramento del Matrimonio o, in casi particolari, conferire alcuni sacramenti, partecipa inoltre al culto di lode e di rendimento di grazie, coadiuva il sacerdozio ministeriale e gerarchico nell'apostolato. Secondo Bevilacqua questo sacerdozio dei fedeli è confermato dalla letteratura apostolica e subapostolica, essa infatti

> afferma l'esistenza di tale Sacerdozio battesimale; fino al punto di riservare ai soli battezzati il termine di Sacerdoti, mentre con altri termini vengono designati coloro che con l'Ordine Sacro ricevettero il Sacerdozio ministeriale: Ministri – Episcopi – Presbiteri – Diaconi ecc.

I fedeli partecipano – devono partecipare – al Culto nel « tutto ecclesiale »[36] nel loro Ordine non come spettatori passivi, ma

> quali pietre viventi edificati come edificio spirituale per un Sacerdozio santo allo scopo di offrire vittime spirituali bene accette a Dio per mezzo di Cristo (*1 Pt* 2, 4-5. 9-10; *Ef* 2, 18-22; *Eb* 13, 15; *Ap* 1, 6; 20, 6).

b) *La tesi di Pierre Jounel*

L'altra posizione è rappresentata da Pierre Jounel[37]. Di lui abbiamo un'ampia relazione in lingua francese [11][38] articolata in due parti che riprendono i due punti della *quaestio*: « Le fondament théologique de la participation active » e « Les exigences pratiques de la participation active ». Abbiano inoltre una versione in lingua italiana della stessa, limitata però al primo punto della prima parte [12].

Notiamo subito che nella titolazione della prima parte non compare l'espressione « sacerdozio dei fedeli ». Per Jounel infatti l'individuazione del fondamento della partecipazione attiva nel sacerdozio dei fedeli,

---

[36] Sembra qui di avvertire un indiretto riferimento alle parole di R. Guardini: « La liturgia non è opera del singolo, bensì della totalità dei fedeli » (R. GUARDINI, *Lo spirito della liturgia*, Morcelliana, Brescia, 1980³, p. 37).

[37] Pierre Jounel, sacerdote francese della diocesi di Nantes, nasce a Saffré (Loire-Atlantique) il 16 luglio 1914. Ordinato sacerdote nel 1940 nella compagnia dei preti di San Suplice, diviene professore all'*Institut catholique* di Parigi. Noto per i suoi studi e le sue pubblicazioni di liturgia, fu membro della Commissione liturgica preparatoria e offrì un notevole contributo ai lavori del *Consilium* per l'attuazione della riforma liturgica voluta della Costituzione conciliare *Sacrosanctum Concilium*. Morì a Olivet (Loiret) il 14 novembre 2004.

[38] Le citazioni di Jounel sono tutte tratte dal testo in lingua francese.

così come appare nello schema della *quaestio* approvata il 12 novembre 1960, costituisce un errore di metodo:

> Il ressort en effet de ce texte qu'il est communément admis que le sacerdoce des fidèles est le fondement théologique de leur participation active à la liturgie. C'est là, nous semble-t-il, une grave erreur de méthode.

La teologia del sacerdozio regale dei fedeli, a suo parere, esige ancora molta riflessione e coloro che hanno studiato la questione sotto l'aspetto esegetico, patristico e teologico sembrerebbero escludere che il sacerdozio dei fedeli si ponga sul piano liturgico, ma sia piuttosto da collocarsi su quello dell'*esse* cristiano, su quello dell'attività spirituale del popolo fedele. Qui il nostro autore, appoggiandosi a due seminari di studio, tenutisi rispettivamente a Lovanio nel 1933 e a Vanves nel 1959, propone una sua sintesi del dibattito. Per l'aspetto esegetico cita L. Cerfaux[39]; per quello storico sintetizza le posizioni di B. Botte[40], P. Charlier[41] e Robeyns[42]; infine, tra i teologi vengono riportate le posizioni di J. Lécuyer e di Congar. Il primo sostiene che è più prudente evitare di partire dalla nozione di "sacerdozio dei fedeli", data la sua complessità. Infatti

> Il existe dans la tradition des textes qui rattachent à ce qu'on appelle le "sacerdoce des fidèles" le droit des baptisés de participer à l'offrande eucharistique; mais <u>ces textes sont très rares</u>.

Il secondo afferma che il sacerdozio dei fedeli è di ordine spirituale e « Selon l'Ecriture et selon la Tradition il n'est pas à définir par une compétence sacramentelle et liturgique »[43].

---

[39] « Les textes bibliques sur lesquels s'appuie la théologie du sacerdoce royal veulent mettre en valeur <u>le caractère spirituel et eschatologique du culte chrétien</u>. La formule ne doit donc pas exprimer directement, ni premièrement, la participation des fidèles au culte eucharistique ou à la liturgie tout court. Au contraire, lorsqu'il s'agira de leur baptême, et des obligations du "service" religieux auquel ils sont appelés, elle sera merveilleusement à sa place pour des développements parénétiques ».

[40] « <u>C'est dans leur ensemble, en tant qu'incorporés au prêtre unique, que les chrétiens sont prêtres</u>. La consécration baptismale ne confère pas au baptisé un pouvoir véritablement sacerdotal, plus spécialement sacrificiel. Historiquement la participacion des fidèles au culte ne repose pas sur une théologie de leur sacerdoce ».

[41] « Les scholastiques admettent la formule parce qu'elle est traditionelle, mais ils se refusent à reconnaître un vrai sacerdoce chez le fidèle ».

[42] « Le Concile de Trente, attentif à établir contre la Réforme l'existence d'un sacerdoce sacramentel, ne s'est pas intéressé au sacerdoce des fidèles ».

[43] Congar infatti, dopo aver passato in rassegna i dati della sacra Scrittura, conclude che il culto, i sacrifici dei fedeli, e dunque il loro sacerdozio, sono essenzialmente quelli di una vita santa. Non sono quindi da comprendersi sul piano propriamente liturgico o sacramentale, ma spirituale: « Mais ce qualificatif doit être entendu en son sens biblique, et non comme un équivalent de *métaphorique* ou purement *moral*; nous avons déjà dit et redirons que le sacerdoce

Nel ricapitolare la discussione, Jounel afferma che è la Chiesa, come Corpo di Cristo, che partecipa del sacerdozio del suo Capo. I fedeli quindi partecipano del sacerdozio di Cristo solo in quanto sono membri del popolo sacerdotale, abilitato a offrire il sacrificio della nuova Alleanza. Il singolo battezzato però non partecipa in modo univoco ai diversi aspetti del sacrificio della nuova Alleanza (rinnovazione rituale del sacrificio della croce, oblazione rituale del sacrificio della Chiesa, offerta permanente del sacrificio spirituale). Il suo carattere battesimale lo abilita al sacrificio spirituale della Chiesa, infatti « si l'Eglise doit s'offrir à Dieu comme une hostie vivante, où le ferait-elle sinon en ses membres vivants? ». Il sacrificio spirituale dei battezzati è un elemento essenziale del sacrificio della Chiesa. Per quanto riguarda invece la rinnovazione rituale del sacrificio della Croce

> le baptisé n'y a part que dans le mesure où toute l'Eglise, corps du Christ, est présente avec son Chef dans la personne du prêtre hiérarchique et où il s'associe voto à l'action sacrificielle de ce prêtre.

Il sacrificio del Capo è però anche quello del Corpo. Proprio per questo il sacrificio della Chiesa esige la partecipazione di tutti i presenti all'assemblea eucaristica: « offrande des oblats, part prise à la prex eucharistica, ratification consciente de l'action sacerdotale, communion au Corps et au Sang du Seigneur ».

Comprendiamo in questo modo come Jounel possa concludere che la teologia del "sacerdozio dei fedeli" non fornisce una base teologica solida e indiscutibile alla partecipazione attiva dei battezzati alla liturgia. La via da lui proposta è quella ecclesiologica. Citando Botte, egli sostiene che i cristiani dei primi secoli concepirono la loro partecipazione attiva al culto non tanto in relazione a una consapevolezza di dignità sacerdotale, quanto invece alla concezione fortemente "sociale" del cristianesimo. Essi partecipavano attivamente alla Messa, perché sapevano che essa era il loro sacrificio, non perché si considerassero sacerdoti. Vi era cioè la consapevolezza che la celebrazione dell'eucaristia è il sacrificio di Cristo e il sacrificio della Chiesa, di cui i cristiani sono membra vive. Essere membra del Corpo mistico di Cristo costituisce quindi il fondamento ultimo del diritto di tutti i cristiani e del loro dovere di partecipare attivamente alla liturgia: « C'est aussi le fondement le plus clair, le moins sujet à interprétation erronées, le plus facile à faire saisir au peuple chrétien ». Questa tesi secondo Jounel trova conforto anche nel magistero di

---

des fidèles doit être bien plutôt appelé spirituel-réel. Mais il n'est pas de l'ordre de la célébration du cult public ou sacramentel de l'Eglise » (Y. CONGAR, *Jalons pour une théologie du laïcat*, du Cerf, Paris, 1953, p. 177).

Pio XII, che nella *Mediator Dei* lega il sacerdozio dei fedeli all'incorpo-
razione battesimale alla Chiesa: la liturgia sarebbe quindi l'atto sacerdotale del Cristo totale che santifica il mondo e glorifica il Padre, sarebbe
l'azione congiunta di Cristo, del sacerdote e di tutti i battezzati riuniti attorno a lui[44]. Da qui la riflessione del nostro autore si sposta sull'assemblea liturgica, perché non è possibile definire la liturgia come atto sacerdotale della Chiesa senza evocare l'assemblea liturgica. Il termine stesso
"Chiesa" designa infatti l'assemblea cristiana, la comunità cristiana in un
dato luogo e la Chiesa universale[45]. L'assemblea liturgica è infatti a un
tempo la manifestazione visibile, il segno sensibile del Corpo di Cristo e
il mezzo privilegiato attraverso il quale si costruisce ogni giorno il Corpo
di Cristo[46]. In sintesi Jounel sostiene che i cristiani attraverso il battesimo
sono incorporati alla Chiesa e quindi partecipano a tutta l'attività della
Chiesa compresa la sua attività sacerdotale di glorificazione di Dio e di
santificazione degli uomini. La duplice funzione sacerdotale della Chiesa
prende forma rituale nella celebrazione liturgica, che culmina con il sacrificio della Messa, segno sensibile e strumento privilegiato dell'esercizio del sacerdozio della Chiesa. Ora è nell'assemblea della comunità dei
fedeli che la Chiesa celebra la liturgia, che essa esercita il suo sacerdozio
rituale. Il carattere battesimale abilita il cristiano a partecipare attivamente alla celebrazione liturgica, all'assemblea del popolo sacerdotale della
nuova alleanza. È interessante notare che Jounel afferma che dei due termini "partecipazione attiva", quello decisivo è il primo "partecipazione",
cioè il prendere parte a un'azione collettiva. Il secondo "attiva" prende
forma di volta in volta dalla natura dell'assemblea e della celebrazione:
altre infatti sono le esigenze di partecipazione alla celebrazione eucaristica, altre quelle a una processione di supplica o a un ufficio vesperale della lode divina. Vi sono tuttavia delle costanti nelle strutture dell'assemblea liturgica che forniscono le leggi fondamentali della partecipazione
dei suoi membri. Jounel ne indica due:

— tutta l'assemblea conduce a un mistero di comunione « dans lequel
les fidèles *cum Summo Sacerdote arctissime coniungentur*: communion au Seigneur dans l'accueil à sa Parole, dans la prière et, s'il

---

[44] « C'est donc à l'incorporation baptismale à l'Eglise que Pie XII rattache incidemment
le sacerdoce des fidèles, dont il évite d'ailleurs de prononcer la formule, tandis qu'il relève par
contre vivement l'erreur de ceux qui prétendent populum vera perfrui sacerdotali potestate ».

[45] Qui Jounel è debitore di B. BOTTE, "Les rapports du baptisé avec la communauté chrétienne", in *Les questions liturgiques et paroissiales* 43 (1953) 115.

[46] « L'assemblée liturgique est à la fois la manifestation visible, le signe sensible du
Corps mystique du Christ, et le moyen privilégié par laquel se construit chaque jour davantage
le Corps du Christ: Mysterium nostrum in mensa dominica positum est, selon l'expression célèbre de S. Augustin, que rapporte Pie XII ».

s'agit de la Messe, dans la manducation de son Corps eucharistique »;

— per il fatto di essere gerarchicamente ordinata, « toute assemblée comporte une liaison sensible entre son président et ses membres. Cette liaison est assurée essentiellement par le dialogue, par l'obéissance des membres à l'invitation du président, par un ensemble d'attitudes communes ».

c) *Le due prospettive a confronto*

La differenza di approccio alla questione di natura teologica trova la sua eco nel « Pro memoria » [1] del 21 febbraio 1961 compilato da P. Cannizzaro. In esso il relatore della sottocommissione fa il punto della situazione, riconoscendo che se i membri sono sostanzialmente concordi sulle questioni pratiche, non altrettanto lo sono sul fondamento teologico della partecipazione attiva. Potremmo sintetizzare così le due posizioni: Bevilacqua propende per un sacerdozio individuale dei fedeli, che essi esercitano nella celebrazione in modo proprio, anche se chiaramente distinto dal sacerdozio ministeriale di coloro che hanno ricevuto il sacramento dell'Ordine. Jounel preferisce prudenzialmente non addentrarsi nella questione del sacerdozio dei fedeli e applica la nozione di sacerdozio, in modo collettivo, all'intero Corpo di Cristo. Il fedele partecipa attivamente al culto della Chiesa in quanto ne è membro attivo e tutte le azioni della Chiesa gli appartengono.

Per questo motivo P. Cannizzaro ritiene che la questione vada affrontata con un'ampia riflessione e che il Concilio definisca meglio la dottrina del sacerdozio dei fedeli. Il convincimento è ribadito nella lettera con la quale invia a P. Bugnini il « Pro memoria »: « Per conto mio sono profondamente convinto non solo della utilità, ma della urgente necessità che il Concilio si occupi del sacerdozio dei fedeli e ne definisca l'esistenza, la natura, i limiti e i compiti » [2]. Egli ritiene infatti che siano da evitare due opposti errori: quello che sopravvaluta il sacerdozio dei fedeli tanto da negare un sacerdozio gerarchico da questo realmente distinto, quello della svalutazione del sacerdozio dei fedeli, fino alla sua negazione, per tutelare il sacerdozio gerarchico [1]. Inoltre vengono segnalate altre due posizioni erronee:

prima tenet exercitium sacerdotii fidelium requiri ut sacerdotium hierarchicum recte actionem liturgicam celebret; secunda vero putat sacerdotium fidelium tantummodo esse metaphoricum et nullo modo influere in participationem activam fidelium in S. Liturgia [1].

Da qui la richiesta di un'ampia discussione dottrinale che coinvolga periti da altre commissioni e che cerchi di dipanare la questione attorno ad alcuni quesiti: se i testi della sacra Scrittura e della tradizione parlano di un sacerdozio dei fedeli in senso morale e spirituale o anche in senso cultuale e liturgico; se si può sostenere teologicamente la partecipazione attiva dei fedeli alla liturgia senza far riferimento al carattere battesimale « per quem homo deputatur ad cultum Dei secundum ritum christianae Religionis, et pro sua condicione ispius Christi sacerdotium participat » [1]; se il sacerdozio dei fedeli possa e debba essere detto fondamento della loro partecipazione attiva alla liturgia. Cannizzaro conclude la sua lettera affidandosi alle decisioni finali di P. Bugnini:

> Comunque, dopo di aver detto con umile sincerità quel che penso, mi ri-
> metto pienamente a quel che lei deciderà. Attendo sue direttive per rego-
> larmi, in particolare su questo punto, nella stesura della mia relazione [2].

Come già abbiamo visto sopra, l'auspicata commissione mista non venne mai istituita e la relazione finale non venne compilata dal relatore Cannizzaro in seguito alla sua morte improvvisa.

4. Applicazione ed esigenze impreteribili della partecipazione attiva

Se nei lavori della sottocommissione non vi fu pieno accordo circa il fondamento teologico della partecipazione attiva, si determinò invece una sostanziale convergenza circa l'applicazione e le esigenze impreteri-bili di questa partecipazione. Possiamo infatti notare la sintonia tra Bevi-lacqua e Jounel.

a) *Bevilacqua: partecipare con intelligenza*

Il primo afferma che la liturgia come culto al Padre del Cristo totale si compone di due movimenti. Un movimento verticale, che si esprime nella duplice mediazione – ascendente e discendente – del Cristo capo, e un movimento orizzontale in relazione agli uomini che vivono nello spazio e nel tempo ed esigono quindi un'opera di adattamento a tali di-versità. Citando dal capitolo 14 della prima lettera ai Corinti, Bevilac-qua ricorda che si prega sì con lo spirito, ma anche con l'intelligenza. Ecco la prima esigenza: per partecipare al culto con intelligenza è ne-cessaria la catechesi. Anzi per Bevilacqua la liturgia suppone la cate-chesi. Una seconda conseguenza è quella di non disgiungere la liturgia dalla parola di Dio:

nessun errore ha tanto nociuto al movimento liturgico come l'aver visto nella liturgia il solo aspetto cultuale, minimizzando o annientando il suo aspetto profetico. La liturgia rende la catechesi spirito e vita [9].

Ma perché tutto questo raggiunga la sua efficacia appare fortemente necessaria l'introduzione della lingua nazionale nella liturgia. Infatti senza la comprensione diretta della liturgia non vi è assemblea, ma solo accostamento di corpi, non esiste edificazione dell'assemblea. Chi parla lingue sconosciute edifica se stesso, colui che profetizza edifica l'assemblea (cf. *1 Cor* 14). Senza una immediata comprensione della lingua non è possibile quella unificazione di volontà necessaria alla Chiesa militante, l'offerta e la preghiera dei fedeli rimangono prive di senso. Inoltre è la stessa situazione in cui la Chiesa sta vivendo a richiedere questo passo: « Credo difficile contestare l'evidenza sul terreno pastorale: il latino ha rappresentato e rappresenta per il popolo il grande ostacolo per l'accesso alla vita liturgica » [9]. Bevilacqua parla di comprensione diretta, escludendo il fatto che messalini o didascalie possano risolvere la questione. Essi infatti proprio per la mancanza di immediatezza operano una rottura di sincronismo tra assemblea e altare con il pericolo di offuscare la funzione del sacerdote celebrante a favore del commentatore. Spetterà naturalmente alla Santa Sede determinare i limiti dell'uso della lingua nazionale e vigilare sulle traduzioni mediante l'episcopato.

Oltre al legame tra catechesi e liturgia e alla questione della lingua, Bevilacqua offre una serie di altri interessanti spunti per l'applicazione pratica della partecipazione attiva. Tra le esigenze improrogabili egli richiama quella della centralità dell'altare:

> Si esige anzitutto un centro d'interesse, di attenzione, di visione – centro del cuore ma anche degli occhi, secondo la economia liturgica che è l'economia della Incarnazione: *per visibilia ad invisibilia*. Il popolo non partecipa più al mistero cristiano, è divenuto spettatore distratto in attesa di evasione perché troppo lontano dall'Altare confinato nelle absidi, deformato nella sua fisionomia di tavola Sacrificale, ingombrato da architetture di un passato pure glorioso, dovrebbe essere senz'altro permesso l'uso di un altare mobile almeno per le Domeniche e feste, collocato nel cuore del Tempio – rivolto al popolo in modo che il colloquio tra i fedeli e l'Altare avvenga con naturalezza e razionalità [9].

La seconda esigenza è la semplificazione, perché lo sviluppo storico della liturgia non è sempre stato logico, organico, armonioso e teocentrico. La sensibilità dell'uomo contemporaneo inoltre richiede semplicità, essenzialità, evidenza. Proprio per questo bisogna

> ritenere l'essenziale e sfrondare l'accessorio (le interminabili incensazioni, gli inchini reciproci, le ripetizioni, le lungaggini che non entrano nella

logica e nella struttura essenziale del rito). Più si pota l'esuberante super-fluo, e più apparirà chiaro e attraente l'essenziale: la Cena del Signore – il Memoriale della morte del Signore – il Sacrificio offerto per la salute di molti [9].

La terza esigenza mantiene anche oggi tutta la sua attualità: l'importanza dell'omelia. Scrive provocatoriamente Bevilacqua:

> Oggi il lamento contro la predicazione è unanime – l'omelia diviene gradualmente l'incubo della Domenica. Questo è il problema più cruciale per la Chiesa d'oggi perché dalla sua soluzione dipende il ritorno o la diserzione definitiva degli uomini del nostro tempo [9].

La partecipazione del popolo ai sacri misteri, secondo Bevilacqua, dipenderà in massima parte dall'omelia:

> dal suo contenuto scritturale e liturgico più che apologetico e polemico – dalla sua forma semplice, diritta, senza retorica – dalla sua brevità (parte della Messa non la deve soffocare con sproporzioni e prolissità dannose) – dalla sua presenza nei problemi d'oggi ma senza forzature. Proclamazione della parola di Dio deve essere non fredda esegesi ma istruzione e preghiera, luce su tutta la vita umana, fermentata da Cristo [9].

Infine un aspetto non scontato e apparentemente "non liturgico": il disinteresse del clero, così spiegato:

> La partecipazione dei fedeli, l'amore alla Sacra Liturgia, avverranno quando i fedeli convenuti nella casa paterna si convinceranno che questa è la sola Casa del mondo contemporaneo nella quale non esiste "accettazione di persone". In realtà oggi nelle nostre Chiese il classismo è andato accentuandosi fino allo scandalo degli umili che denunciano anche nelle Chiese l'evidente nota borghese del predominio del denaro [9].

b) *Jounel: l'assemblea, epifania del mistero della Chiesa in mezzo agli uomini*

Anche Jounel insiste sulla intelligibilità dei testi e dei riti. Coerentemente con la prospettiva esposta nel fondamento teologico della partecipazione, egli declina il tema dell'intelligibilità a partire dall'assemblea liturgica come epifania del mistero della Chiesa in mezzo agli uomini:

> En d'autre termes, avant de parler des conditions de la participation active des fidèles dans l'assemblée, il faut affirmer la nécessité d'une assemblée dans laquelle les hommes puissent reconnaître le visage de l'Eglise une, sainte, catholique, apostolique [11].

Prima di esigere l'intelligibilità dei segni nella celebrazione, bisogna dire che è importante innanzitutto affermare la necessità dell'intelligibilità del segno globale, che è l'assemblea stessa. Fatta questa premessa di carattere generale, Jounel dichiara prioritaria la questione della lingua liturgica. Citando santa Teresa di Gesù Bambino ricorda come ella soffrisse perché non sapendo il latino non era in grado di comprendere quello che diceva salmodiando. È la stessa sofferenza comune a molti cristiani quando vanno a Messa. Non è però solo questione di lingua, è anche questione di testi e di scelta dei testi. A questo proposito avanza tre voti: l'attenta revisione delle letture bibliche del Messale Romano, l'aumento del loro numero, l'inserimento di almeno una lettura nella celebrazione di ogni sacramento[47].

Dall'intelligibilità dei testi egli passa poi a parlare dell'intelligibilità dei riti che devono risplendere per la loro qualità di "segni", che soffrono se vengono atrofizzati. Essi devono apparire nella loro verità, ma anche nella loro semplicità secondo la regola aurea di sant'Agostino: « Pauca pro multis, factu facillima et intellectu augustissima »[48]. Jounel pensa in modo particolare alla semplificazione delle vesti sacre, alla soppressione dei troppi baci all'altare, delle numerose genuflessioni e dei ripetuti segni di croce. Conviene infatti sopprimere un rito secondario piuttosto che distrarre l'attenzione dei fedeli dal rito essenziale. Naturalmente, come Bevilacqua, anche Jounel ricorda l'importanza della catechesi. Essa diventa ancor più necessaria con la maggiore intelligibilità dei riti perché

c'est à partir du moment où les rites deviennent intelligibles que leur catéchèse obtient une véritable résonnance dans l'âme des fidèles, comme on peut le constater là où l'on célèbre le baptême en langue vivante [11].

Anche Jounel riconosce l'importanza della centralità dell'altare e insiste sul valore del dialogo tra sacerdote e fedeli, del canto, del silenzio, dei gesti e atteggiamenti del corpo, del servizio ministeriale. La parte conclusiva del contributo è dedicata alla partecipazione dei fedeli nell'anno liturgico, per favorire la quale vengono enunciate alcune istanze: la priorità del ciclo del tempo, già progressivamente instaurata dagli interventi di Pio X, Pio XII e Giovanni XXIII, ma bisognosa di essere completata, soprattutto per quanto riguarda il ciclo pasquale; la necessità di favorire una partecipazione più attenta alle feste del Signore che celebrano le tappe fondamentali dell'economia della salvezza; la richiesta di

---

[47] « ... on pourrait célébrer le Baptême des adultes, la Confirmation et le Mariage inter Missarum solemnia après la liturgie de la Parole et introduire une lecture évangélique dans la célébration du baptême des enfants, de la pénitence et de l'onction des malades » [11].

[48] S. AUGUSTINUS, De Doctrina christiana, 3, 9, 13.

rivedere la pratica penitenziale nella sua relazione con il ciclo liturgico. Una trattazione è riservata anche al rapporto tra anno liturgico e devozioni. Una menzione particolare merita la conclusione, intitolata « Voeu fondamental ». Egli si aspetta dal Concilio una presa di posizione, che a suo parere è necessaria per dare efficacia agli sforzi pastorali a favore della partecipazione attiva dei fedeli. Si tratta di una dichiarazione dottrinale e di una precisazione canonica. La prima riguarda il fatto che la Messa, atto principale del culto cristiano, comprende due parti distinte, ma al tempo stesso legate strettamente l'una all'altra: la liturgia della parola di Dio e il sacrificio eucaristico. La parola di Dio è infatti un elemento essenziale dell'assemblea liturgica: « Elle est nourriture pour les âmes; elle est aussi proclamation dans l'Eglise du mystère du salut que réalise l'Eucharistie » [11]. La precisazione canonica è consequenziale alla dichiarazione dottrinale: il fedele non soddisfa il precetto festivo in ordine alla partecipazione alla Messa domenicale se non arriva in chiesa prima dell'epistola.

5. Consultazione di altri esperti: « de natura et valore precationis in nomine Ecclesiae »

Nel contesto di questa riflessione è interessante riferire anche di una iniziativa della presidenza della Commissione. Il 24 gennaio 1961 il card. Gaetano Cicognani fa inviare da padre Bugnini una lettera a quattro noti teologi non membri della Commissione: K. Rahner, A.-M. Roguet, E. Schillebeeckx, D. Van den Eynde. Nella lettera si chiede loro di riflettere « de natura et valore precationis "nomine Ecclesiae", precipue quoad "Officium Divinum" » nel contesto del dibattito sulla natura e sul valore della preghiera dei fedeli in relazione alla dottrina del Corpo mistico di Cristo. Si chiede una « expositio dogmatica, brevis, at praecisa de materia indicata » [5]. Il coinvolgimento di esperti non nominati membri di Commissione era stato autorizzato dalla Commissione Centrale il 19 novembre 1960 con una lettera inviata a tutti i presidenti nella quale si concede la possibilità di avvalersi di

> consiliarios et adiutores... hoc tamen pacto ut id vere necessarium vel perutile sit, et adhibeatur viri vere periti et prudentes, quibus, si res ferat, secreti servandi deferatur iuramentum[49].

---

[49] Cf. PCP, p. 81.

Dei quattro rispondono solo i primi due[50]. Schillebeeckx si scusa di non poter accettare l'incarico per motivi di salute e Van den Eynde dice di trovarsi nell'impossibilità di aderire alla richiesta per ragioni di tempo, per i numerosi impegni, ma soprattutto perché l'ambito della sua ricerca riguarda principalmente la teologia sacramentaria[51].

a) *Aimon-Marie Roguet*

La riflessione di padre Roguet [10] trova il suo punto di partenza nella *Mediator Dei* che definisce l'Ufficio divino preghiera del Corpo mistico di Cristo rivolto a Dio a nome di tutti i cristiani e a loro beneficio. La Chiesa quindi attua in terra l'opera latreutica del suo Capo ora regnante in cielo. L'enciclica però dice che questo avviene « cum a sacerdotibus aliisque Ecclesiae ministris et a religiosis sodalibus fiat, in hanc rem ipsius Ecclesiae instituto delegatis ». Roguet prende le distanze da questa seconda affermazione di carattere giuridico. Dice infatti che non si capisce perché la lode divina avrebbe bisogno di ministri delegati a questo da parte della Chiesa, visto che nella Chiesa dei primi secoli la lode liturgica era propria di tutta la comunità dei fedeli « sine ullo privilegio vel speciali onere sacerdotum ». Solo successivamente si attuò un processo di clericalizzazione per il quale

> divina laus pedetemptim commissa fuit exclusive sacerdotibus et monachis, populo christiano adstante tantum alicui parti solemniori divini officii, nempe Vesperis in diebus dominicis et festivis.

C'è infatti una sostanziale differenza – sostiene Roguet – tra la celebrazione sacramentale, in particolare l'eucaristia, che abbisogna di un ministro ordinato, e quindi delegato, e la preghiera di lode come preghiera del Corpo mistico di Cristo. Qui si tocca la questione del sacerdozio dei fedeli, che alla luce di *Mediator Dei*, il nostro autore considera essenzialmente distinto da quello ministeriale. Il sacerdozio dei fedeli però non è da considerarsi puramente spirituale, ma propriamente liturgico e quindi "operativo". Un sacerdozio esercitato non « per modum auctoritatis », né « per modum potestatis personalis », ma comunitariamente « per modum voti et acclamationis, praecipue dicendo: Amen, Deo gratias,

---

[50] Rahner in realtà manifesta alcune difficoltà di salute e di tempo, visto che si sta occupando del "Lexikon für Theologie un Kirche", ma si sente onorato di collaborare con la Commissione [6]. Probabilmente il coinvolgimento di Rahner e la sua risposta positiva sono dovuti ad J.A. Jungmann, che in quegli anni abitava nella stessa comunità.

[51] Cf. ASV, *Conc. Vat. II*, Busta 1361.

dignum et justum est... ». Il sacerdozio dei fedeli è quindi ordinato primariamente alla lode di Dio, il sacerdozio ministeriale non solo al culto divino ma anche alla salvezza degli uomini attraverso i sacramenti. Ne consegue la tesi finale che la celebrazione dell'Ufficio divino deve riguardare tutto il popolo cristiano, « sicut ac participatio activa, quae tamen vehementer ei commendatur, sacrificio eucharistico in quantum est sacrificium laudis ». Il "votum" finale è che si possa ampliare la possibilità di partecipazione all'Ufficio divino della Chiesa, anche con modalità e forme diverse a seconda delle condizioni dei fedeli sacerdoti, religiosi e laici. Questi ultimi potrebbero assolvere il compito di partecipare alla lode ecclesiale anche in lingua volgare:

> Hujusmodi votum consonare videtur desiderio multorum laicorum qui, secundum incrementum et progressum sic dictorum movimentorum biblici et liturgici, optant posse precare non tantum precibus privatis et devotionalibus sed etiam se uniendo laudibus officialibus et liturgicis totius Ecclesiae.

b) *Karl Rahner*

Più articolato e argomentato il contributo di Rahner[52], molto apprezzato da Bugnini che, ringraziando per la relazione, dice di averla letta con grande interesse: « Ideam quam dilucidari volebam, plene et centraliter exposuisti » [8].

La riflessione di Rahner, rispetto al contributo di Roguet, si muove su altre strade. Non si occupa del sacerdozio comune o ministeriale, ma con un'argomentazione di stampo fortemente scolastico[53] distingue in

---

[52] K. RAHNER, "De natura et valore precationis christifidelium in relatione ad Corpus Christi mysticum" [13]. Rahner pubblicò poi il suo contributo sotto forma di articolo: "Thesen über das Gebet im Namen der Kirche", in *Zeitschrift für katholische Theologie* 83 (1961) 307-324. In traduzione italiana: "Tesi sulla preghiera « in nome della Chiesa »", in K. RAHNER, *Saggi di spiritualità*, Edizioni Paoline, Roma, 1965, pp. 333-371.

[53] Proprio questo fa osservare la presentazione del testo, pubblicato anche nell'*opera omnia* di Rahner: « Der Beitrag wurde 1961 auf Bitten des damaligen Schriftleiters der ZkTh, Josef Andreas Jungmann, der seit 1960 Mitglied der Liturgie-Kommission zur Vorbereitung des II. Vaticanums war, verfasst. Rahners Eingehen auf Themen und Sprache der damaligen offiziellen Schultheologie (Mehrung der Ehre Gottes, Vermehrung des Gebetswertes, Würde des Gebets von Nichtkatholiken) zeigt, wie sehr er sich „römischen" Theologen verständlich machen wollte. Dem diente auch der explizite Rückgriff auf die Ekklesiologie Pius' XII. Die Ausführungen des Konzils über das Breviergebet (besonders SC 84) und über die Präsenz der ganzen Kirche in der Messe einer kleinen Gemeinschaft (LG 26) sind hier mit grundgelegt » (*Sämtlichen Werken K. Rahners*, herausgegeben von H. VORGRIMEL, Band 14 „Christliches Leben Aufsätze – Betrachtungen – Predigten", Herder, Freiburg im Breisgau, 2006, pp. 79-96).

primo luogo la glorificazione oggettiva di Dio da quella formale. La prima viene data a Dio da ogni creatura per il solo fatto di esistere[54], la seconda quando la creatura, dotata di spirito e libera, riconosce spontaneamente e amorosamente l'infinita superiorità di Dio[55].

Questa distinzione è letta da Rahner in relazione all'*opus operatum* e all'*opus operantis*. Circa la preghiera infatti – *quoad substantiam* – anche se fatta senza devozione può valere come soddisfazione dell'obbligo di recitare il breviario, quindi anche una preghiera di questo genere risulta compiuta "in nome della Chiesa"[56]. In realtà però solo una preghiera suscitata e vivificata dalla grazia soprannaturale si può chiamare per Rahner atto salvifico: è la divinizzazione dell'uomo che consiste nell'autocomunicazione di Dio fatta tramite la grazia increata. Questa divinizzazione si attualizza in chi prega attraverso quei gemiti inesprimibili coi quali lo Spirito Santo stesso divinizza questa preghiera nei cuori dei giustificati. Ne consegue che ogni preghiera soprannaturale che viene fatta attingendo alla grazia di Cristo e quindi in seno al suo Corpo mistico può a buon diritto venire detta un atto della Chiesa. Non possiamo qui non segnalare il valore di questa affermazione sul versante ecumenico. Rahner infatti rifugge da quello che definisce un « Nestorianismus ecclesiologicus » che enumera nel concetto complessivo di Chiesa solo le note che rientrano nella sua struttura esteriore e sociale. Nel concetto di Chiesa non si deve trascurare l'interiore animazione dello Spirito Santo, grazie alla quale non è lecito dire « simpliciter extra Ecclesiam esse, qui Spiritum hunc huius Ecclesiae possident ». Da questa prospettiva la preghiera degli acattolici giustificati dalla grazia, che hanno ricevuto un battesimo valido e fruttuoso,

> licet visibilia membra Ecclesiae visibilis non sint simpliciter, oratio (absolute loquendo, i.e. si oratio mensuratur secundum mensuram ultimam dignitatis et valoris orationis, quae est gratia) eiusdem dignitatis et valoris est quam oratio membrorum simpliciter et strictissime dictorum. Nam

---

[54] « Obiectiva Dei gloria exhibetur a qualibet Dei creatura, prout et inquantum est et inde resplendet aliquid perfectionis Dei ».

[55] « Formalis gloria Dei habetur eo, quod spiritualis et libera creatura sua libertate agnoscit Dei infinitam excellentiam. Haec ergo gloria Dei formalis et "subiectiva" fieri non potest nisi actibus formaliter humanis et quidem ethice bonis seu honestis ».

[56] « Sed mera recitatio Officii Divini per aliquem, qui gratia sanctificante destituitur nec actum internum religionis ponit ex gratia (actuali), nullius est valoris coram Deo, licet forte hac recitatione mere externa mandatum Ecclesiae adhuc impleatur et eatenus haec oratio "nomine Ecclesiae" facta dici possit ». In precedenza Rahner aveva rimarcato il paradosso che, ad esempio nell'amministrazione di un sacramentale, quando né il sacerdote, né il fedele agiscono devotamente « tali "oratione" qua tali simpliciter nihil fit nisi offensa Dei, licet sensu supradicto adhuc "nomine Ecclesiae" facta dici possit ».

horum oratio summam et decisivam dignitatem obtinet ex illa gratia et illa coniunctione cum Christo et cum eius corpore mystico, quibus etiam illi acatholici iustificati donati sunt, et non praecise ex eorum vinculis iuridicis et externis cum Ecclesia.

Ogni preghiera soprannaturale infatti, che viene fatta in seno al Corpo mistico di Cristo e attingendo alla grazia del Capo, può venir detta rettamente un atto della Chiesa. Similmente e a maggior ragione questo vale per quanto riguarda la preghiera comune dei fedeli, anche parlando di quella « quae iuxta strictissimum conceptum liturgiae hodie usitatum "liturgica" dici nequit ». In qualsiasi preghiera comune di questo genere, infatti, risaltano visibilmente tutte le proprietà essenziali insite in ogni preghiera. A questo atto ecclesiale, un esplicito assetto liturgico imposto dalla Chiesa non aggiunge alcuna dignità superiore davanti a Dio, perché non dà dignità più grande di quella conferita alla preghiera dallo Spirito col suo gemito inesprimibile. L'assetto liturgico non rende la preghiera del cristiano più grande, ma atto della Chiesa in quanto società visibile, fa sì che la preghiera comune avvenga effettivamente, degnamente e frequentemente. Per Rahner quindi ogni preghiera del cristiano attinge il proprio valore dalla grazia increata, dallo Spirito Santo che prega in noi e divinizza la preghiera. L'assetto liturgico fa semplicemente sì che i cristiani abbiano la certezza, siano più sicuri, che questa preghiera per la sua oggettività risulti effettivamente gradita a Dio, ma questo "valore aggiunto" è incomparabilmente più esiguo del valore della preghiera che viene fatta nello Spirito Santo.

6. Il dibattito nella sessione plenaria dell'aprile 1961

Il lavoro della sottocommissione approdò infine alla sessione plenaria, convocata a Roma nei giorni 12-24 aprile 1961[57]. In apertura della sessione P. Bugnini tenne una relazione introduttiva nella quale presentò il lavoro da svolgere e il metodo[58]. Quest'ultimo si rivelò particolarmente efficace: esposizione del relatore (non oltre i venti minuti), esame delle *Constitutiones* o *Vota* con relativo dibattito, voto di ogni singolo membro della Commissione (*placet, non placet, placet cum emendationibus*), il voto con il numero maggiore di suffragi avrebbe determinato il testo da preferire (in caso di una maggioranza risicata si sarebbero mantenuti i due testi). Terminata la discussione e la votazione, ogni singola

---

[57] Cf. PCP, pp. 84-88.
[58] PCP, pp. 94-100.

sottocommissione avrebbe dovuto preparare un nuovo testo secondo le osservazioni raccolte.

La questione « de fidelium participatione in sacra liturgia » venne affrontata nelle sessioni mattutine del 20 e 21 aprile 1961[59]. Relatore fu P. A.-M. Roguet[60], nominato come guida della sottocommissione alla morte di P. Cannizzaro. Il relatore in un intervento introduttivo[61] presenta il testo della relazione, frutto del lavoro della sottocommissione, redatto principalmente dal segretario Jounel, dopo la morte di Cannizzaro. P. Roguet illustra brevemente l'articolazione della relazione, costituita da tre documenti: *altiora principia*[62], *allegata*[63], *vota*[64]. Il primo testo verrà esaminato e discusso nella riunione; gli allegati sono destinati a una lettura privata, anche se P. Roguet attira l'attenzione su due in particolare che aiutano a motivare la proposta « de introducenda lectione Sacrae Scripturae in omnibus ritibus liturgicis et de instauranda psalmodia magis explicata »; il terzo documento verrà esaminato facendo attenzione a quelle proposte/*vota* non trattate nelle altre relazioni. Prima di avviare l'esame Roguet fa un accenno alla questione del fondamento teologico della partecipazione attiva, sintetizzando le due posizioni emerse nella sottocommissione. Dichiara inoltre che nella relazione si è deciso di non entrare nelle dispute teologiche:

> Sed hic non debemus exarare tractatum theologicum, sed textum pro Concilio praeparatum, quod debet esse expers annis disputationis. Immo, supponendo quod omnes theologi concordes sint circa hanc theoriam, remanet quod est doctrina theologica, non dogmatica, et sic non convenit expositioni conciliariae[65].

Egli però non si esime dall'esprimere un suo personale parere:

---

[59] Per i verbali delle due riunioni cf. PCP, pp. 188-197.

[60] P. Roguet, domenicano, fondatore e Direttore del *Centre de Pastorale liturgique* di Parigi, autore di molte opere liturgiche e del "Directoire" di Pastorale liturgica delle Diocesi francesi venne cooptato come membro della Commissione (5 febbraio 1961), su proposta di P. Bugnini che nella sua lettera al card. Gaetano Cicognani del 28 gennaio 1961 lo definisce ottimo teologo liturgista. P. Bugnini motiva la sua proposta di cooptare Roguet (insieme a E. Cattaneo, primo titolare della cattedra di storia della liturgia istituita presso l'Università Cattolica del Sacro Cuore di Milano) con queste parole: « In particolare per i due Membri la nomina è giustificata dal proposito di cercare un certo equilibrio tra le diverse tendenze, equilibrio che faciliterà la soluzione delle questioni più controverse » (cf. la documentazione relativa in ASV, *Conc. Vat. II*, Busta 1354).

[61] PCP, pp. 185-188.

[62] PCP, pp. 332-336.

[63] PCP, pp. 336-344.

[64] PCP, pp. 345-362.

[65] PCP, p. 187-188.

Si meam sententiam dare licet, audeam dicere quod, ut theologus privatus, assentio ad sacerdotium vere liturgicum fidelium, et credo hoc esse
fundamentum proximum participationis fidelium ad liturgiam[66].

a) Gli « altiora principia »

Gli « Altiora principia de participatione fidelium in sacra liturgia »
prendono avvio dalle testimonianze dei primi secoli, che attestano la
« unanimis precatio » di tutti i cristiani nell'azione di grazie e nella lode
a Dio. Si afferma che molti scritti dei padri d'oriente e d'occidente, de-
creti conciliari, testi liturgici testimoniano la partecipazione del popolo
alla celebrazione:

> vel Dei verbum audiendo, vel psalmos cantando, vel communiter orando
> vel oblata adferendo, vel Praefationi aut Anaphorae respondendo vel
> Sanctus clamando, vel Sacerdotis orationem ratificando, vel Corpori et
> Sanguini Domini communicando. Profecto sane verum est quod innuit
> romanus Canon affirmans: Unde et memores, nos servi tui sed et plebs
> tua sancta offerimus praeclare Majestati tuae hostiam puram[67].

Nel corso dei secoli questa partecipazione è andata decrescendo, soprattutto in occidente: la comunione eucaristica diventa più rara, la parola di Dio non viene più compresa a causa della lingua latina, il canto
viene riservato a un piccolo coro. Il risultato fu che progressivamente i
fedeli furono presenti all'azione liturgica « quasi muti spectatores » e per
nutrire la propria fede si videro nella necessità di rivolgersi « diversis
precationibus et exercitiis devotis quidem nullum cum liturgia vinculum
habentibus »[68].
Si passano poi in rassegna gli interventi del magistero che mettono in
luce il valore della partecipazione dei fedeli. Si parte dal Concilio di
Trento e dai voti in esso formulati che in ogni Messa i fedeli presenti si
comunichino non solo spiritualmente, ma anche sacramentalmente rice-
vendo l'Eucaristia[69], e che sia frequentemente spiegato al popolo durante
la celebrazione delle messe qualche cosa di quello che vi si legge e del
mistero che si celebra, specialmente nelle domeniche e nei giorni festivi[70].
Si giunge poi al noto Motu proprio di san Pio X « Tra le sollecitudini »

---

[66] *Ibidem.*
[67] PCP, p. 333.
[68] *Ibidem.* Nel dibattito l'espressione « nullum cum liturgia vinculum habentibus » viene
contestata, probabilmente come troppo perentoria (cf. PCP, p. 188).
[69] Cf. DH 1747.
[70] Cf. DH 1749.

e alle prime riforme introdotte da Pio XII. Chiuso questa sorta di proemio, si passa ad articolare la questione attorno a tre paragrafi. Il primo mette in luce il valore della parola di Dio in ordine alla partecipazione: fin dall'Antico Testamento infatti Dio, radunando il popolo per colmarlo dei suoi doni, per prima cosa rivolgeva a lui la sua parola « ut plenum fidei assensum ab eo obtineret ». Questo è avvenuto anche nella pienezza dei tempi « dum loquebatur nobis in Filio (*Hebr* 1, 1) ». Proprio per questo

> Prima pars populi in sacra liturgia ea est ut recipiat fideliter donum Dei praevenientis, quod est ejus verbum. Porro fides inprimis alitur per auditum verbi Dei in liturgia ab Ecclesia proclamati. Multi nostri aevis christiani verbum Dei non possunt audire nisi in sola liturgica actione[71].

Ne consegue la necessità dell'introduzione della lingua volgare in modo che il popolo possa ascoltare e comprendere. Questo primo paragrafo, pur con qualche distinguo, viene sostanzialmente accolto e trova consensi nel dibattito[72].

Nel secondo paragrafo si affronta più direttamente la questione del valore della partecipazione attiva. Essa viene definita un diritto e un dovere, fondati sul battesimo:

> Pastores adhlaborare oportet ut in omni liturgica actione populus christianus eam actuosam et consciam partem habeat quae sibi jus et officium est ex baptismo dimanans[73].

Si esplicita poi che questa partecipazione attiva e consapevole deve essere declinata nell'intelligenza dei segni, delle preghiere e dei canti e che è necessario che il popolo santo esprima esteriormente, attraverso le azioni del rito, quel senso di unità che lo Spirito opera interiormente in ciascuno. Questa istanza vale in modo particolare nella celebrazione eucaristica nella quale Dio riunisce i figli di Dio dispersi (cf. *Gv* 11, 52) per costituirli in popolo di sua conquista, « gens sancta, regale sacerdotium (*1 Petr.* 2, 9-10; *Apoc.* 1, 6) »[74]. A questo proposito si deve affermare che i fedeli hanno diritto di ricevere il Corpo di Cristo e per questo devono essere esortati a comunicarsi nella celebrazione della Messa subito dopo il celebrante e i ministri: « in nulla missa vetari liceat fidelium communio, revocata qualibet consuetudini et excluso quolibet praetextu »[75]. Si auspica inoltre l'introduzione di monizioni e acclamazioni, dette, a seconda

---

[71] PCP, p. 334.
[72] Cf. PCP, pp. 188-190.
[73] PCP, p. 334.
[74] PCP, p. 335.
[75] *Ibidem.*

delle circostanze, dai fedeli, dal celebrante, dal diacono o dal commentatore. La tesi comunque appare con chiarezza:

> In nullo liturgiae modo, nec humillimo nec solemnissimo, participatio-
> nem populi excludere fas est, ne jam illud eveniet ut populus aut nequa-
> quam, aut levi quodam dimissoque murmure communibus precibus re-
> spondeat[76].

Il dibattito su questo secondo paragrafo[77], come era prevedibile, si
concentra sulla questione del sacerdozio e sul riferimento al battesimo.
Vagaggini infatti « Acceptat ut non discutiantur quaestio de sacerdotio
fidelium ». Pascher si interroga sul come si possa parlare di un diritto dei
fedeli se questi non possiedono un sacerdozio di ordine liturgico, anche
se non sacramentale. Martimort ritiene che bisogna distinguere tra l'affermazione del Concilio, che cioè i fedeli, secondo la tradizione, devono
partecipare attivamente « ex baptismo » e l'affermazione sul sacerdozio,
che è invece discussa: « Ad nostrum scopum sufficit doctrina de populo
Dei ». Ci si orienta su una formulazione più sfumata, come quella proposta
da Hervàs: « partem habeat quae ei ex receptione baptismatis competit ».

Il terzo paragrafo infine dichiara che la partecipazione dei fedeli mette in luce l'indole gerarchica della Chiesa, che viene manifestata dalla
struttura ministeriale della celebrazione, dove ciascuno svolge in modo
ordinato il proprio compito:

> Celebrans toti actioni liturgicae praeest. Ministri vicissim serviunt cele-
> branti, plebi, et Verbo Dei. Aliqui cantus, ex officio eorum, pertinent
> proprie ad chorum, seu scholam cantorum, sed, rursus, ista non potest ul-
> lo modo succedere in locum populi pro cantibus qui ipso attribuuntur ex
> antiqua traditione Ecclesiae[78].

Nel dibattito[79] il testo viene giudicato un po' oscuro (mons. Rossi),
perché parlare di indole gerarchica non pare sufficiente in quanto il culto
nella sua totalità è gerarchico (Nabuco). Mons. Rossi propone un emen-
damento, che viene accolto:

> ut textus emendatus clare dicat sacerdotium fidelium non est usurpatio
> potestatis sacerdotalis, sed associatio ad ipsum, ita ut tali modo clarius
> manifestet indolem hierarchicam Ecclesiae.

---

[76] PCP, p. 334.
[77] Per il dibattito su questo paragrafo cf. PCP, pp. 190-191.
[78] PCP, p. 335.
[79] Per il dibattito su questo paragrafo cf. PCP, pp. 191-192.

b) L'applicazione dei principi

Il terzo documento, come si può evincere dal titolo assegnatogli, ha valore applicativo: « Vota suffragiaque ut altiora principia Concilio submissa applicantur »[80]. L'affermazione di apertura dà ragione dell'articolazione delle parti: « Nullus de facto liturgiae campus existit quem directe aut indirecte christifideles in cultu divino non participent »[81]. Proprio per questa ragione il documento sviluppa i suoi contenuti seguendo di fatto le *quaestiones* affidate alle singole sottocommissioni. Potremmo sintetizzare attorno a due grandi ambiti la varietà di considerazioni e di proposte presentate: l'ambito riguardante i capitoli fondamentali della vita liturgica della Chiesa e quello di alcune istanze che li attraversano trasversalmente.

— L'anno liturgico

Circa il primo ambito sono degni di nota almeno quattro capitoli: l'anno liturgico, la Messa, l'Ufficio divino, sacramenti e sacramentali.

Le istanze riguardanti l'anno liturgico partono dalla necessità di assegnare maggior importanza, e quindi la precedenza, al ciclo « de Tempore », in particolare alle feste del Signore che celebrano in modo specifico alcuni aspetti del mistero della salvezza: « Nativitas, Epiphania, Baptismus, Praesentatio in templo, Annuntiatio, Pascha, Ascensio, Pentecostes »[82]. Ci si occupa poi con attenzione del tempo di Quaresima e della settimana santa. Per il cammino verso la celebrazione pasquale si auspica il recupero del carattere battesimale, anche attraverso il ripristino delle tre classiche pericopi evangeliche della catechesi battesimale:

> Cursus Quadragesimae gradibus cathecumenatus magis accomodetur, praesertim restituendo tria evangelia fundamentalia didascaliae baptismatis (mulier Samaritana, Caecus natus, Lazarus) dominicis III, IV et V Quadragesimae et recitando orationem pro cathecumenis in Oratione fidelium harum dominicarum[83].

Per la Veglia Pasquale poi, da alcuni anni riformata da Pio XII, si richiede di favorire una ancora più consapevole partecipazione dei fedeli attraverso l'abbreviazione dell'*Exsultet*, l'introduzione della lingua volgare

---

[80] Cf. PCP, pp. 345-362.
[81] PCP, p. 345.
[82] *Ibidem.*
[83] PCP, p. 346.

per la preghiera di benedizione dell'acqua, la soppressione di alcuni riti secondari e una nuova scelta delle letture[84]. Infine si invoca il recupero di una maggiore dignità per il tempo pasquale:

> Tempori Paschali debitum pretium dignusque honor restituantur. Si Quadragesima exclusive attendatur Tempusque paschale adumbratum observetur, uti hodie usus viget, aequitas doctrinae minime habetur communitati christifidelium, quae decursu Quadragesimae ad asceticam vitam exhortata est, splendor novae in Christo vitae describatur[85].

— *La Messa*

A proposito della Messa si manifesta la necessità di dare nuovo vigore alla prima parte, che nel testo viene chiamata parte o liturgia didascalica:

> Ideo Sancta Synodus deberet significare primam Liturgiae partem nullo modo facultativam dici posse neque fideles praecepto missae dominicae satisfacere, si didascaliam negligant Liturgiae quae prima lectione incipitur[86].

Per questa valorizzazione si richiama la necessità che il sacerdote presieda da un luogo apposito questo momento e che la parola di Dio venga proclamata dall'ambone o dal pulpito. Soprattutto appare però importante una riforma del lezionario[87], che preveda tre letture per le domeniche e le feste, la restituzione del salmo graduale e della processione dell'Evangeliario al canto dell'Alleluia. Degna conclusione di questa parte è ritenuta infine la preghiera dei fedeli, che la Chiesa antica aveva in grande onore.

Della seconda parte – la liturgia eucaristica – si dovrebbero rivedere alcune sequenze rituali: recuperare la processione per la presentazione dei doni, il corpo dei prefazi dovrebbe essere arricchito, il Canone così come la preghiera sulle offerte dovrebbero essere recitati ad alta voce, il Padre nostro e il *Sanctus* dovrebbero essere cantati insieme da sacerdote e fedeli[88]. Inseriamo in questo contesto anche alcune considerazioni circa

---

[84] Cf. PCP, p. 347.

[85] *Ibidem.*

[86] *Ibidem.* Nel dibattito si fa notare che il termine "didascalica" non è condiviso, si preferisce parlare di liturgia della Parola e liturgia del sacramento, sottolineando comunque che esse appaiano nella loro stretta connessione (cf. PCP, p. 195).

[87] Pure la sottocommissione « De Missa » aveva manifestato questa esigenza, proponendo anche uno schema di riforma dell'ordinamento delle letture della Messa: cf. PCP, pp. 253-259.

[88] Cf. PCP, p. 348.

la concelebrazione. Il rito della concelebrazione, soprattutto se si decidesse di estenderne la possibilità, deve essere rivisto in modo da favorire la partecipazione attiva e consapevole dei fedeli, perché la concelebrazione del vescovo attorniato dai suoi presbiteri « revelationem manifestam exhibet mysterii Ecclesiae illustrationemque verborum quae celebrans quotidie in Missa pronuntiat: nos servi tui, sed et plebs tua sancta »[89].

— L'Ufficio divino

Anche a proposito dell'Ufficio divino si richiamano alcuni elementi che possono favorire un'autentica partecipazione. In particolare segnaliamo l'esigenza di rendere più facile la presenza e la preghiera del popolo alla sua celebrazione e la proposta di introdurre una struttura propria per l'Ufficio parrocchiale con l'utilizzo della lingua vernacola[90]. Su quest'ultimo aspetto nel dibattito non è stata nascosta qualche perplessità sulla differenziazione tra Ufficio parrocchiale e Ufficio ordinario, soprattutto in ordine alla preghiera comune tra clero e fedeli[91].

— Sacramenti e sacramentali

Dell'ampia trattazione su sacramenti e sacramentali mettiamo in luce almeno tre istanze. La prima, in coerenza con quanto già proposto nelle parti precedenti, riguarda la necessità di arricchire ogni celebrazione dei sacramenti e dei sacramentali di una più significativa presenza della parola di Dio. La seconda esprime l'importanza di preferire la celebrazione comunitaria, in particolare di alcuni sacramenti: le ordinazioni, da celebrarsi nella chiesa cattedrale alla presenza di una rappresentanza di tutta la diocesi; i sacramenti dell'Iniziazione cristiana, da celebrarsi nella chiesa parrocchiale per manifestare il carattere comunitario che è loro proprio. Significativo che questa dimensione comunitaria sia auspicata anche per il sacramento della Penitenza, suggerendo di strutturarlo in due parti, la prima delle quali dovrebbe avere carattere comunitario con l'utilizzo

ad libitum psalmum poenitentialem, deinde debitam Evangelii pericopae lectionem comprehendat, brevem orationem litaniarum, Confiteor cum

---

[89] PCP, p. 349.
[90] Cf. PCP, p. 350.
[91] Cf. gli interventi di mons. Rossi e di mons. Jenny, PCP, p. 196.

Misereatur et Indulgentiam. Secunda pars, stricte secreta, confessionem peccatorum a poenitente peractam, monitionem a confessore emissam, impositionem poenitentiae et absolutionem ab peccatis amplectatur[92].

Tra i sacramentali infine segnaliamo l'auspicio di sottolineare il senso pasquale della morte cristiana nel rito delle esequie attraverso il recupero dei salmi pasquali, già presenti nei riti funebri dei primi secoli[93].

— *Alcune costanti*

Troviamo infine alcune costanti, che ricorrono trasversalmente e che costituiranno poi i punti ispiratori della riforma post conciliare. Al primo posto sta la preoccupazione per una maggiore intelligenza dei riti, in particolare della Messa. Richiamiamo qui solo due suggerimenti: la confezione del pane eucaristico in modo che appaia più chiaramente il segno del pane[94] e la possibilità della celebrazione « versus populum »[95]. Troviamo poi ribadita in più punti l'istanza di una semplificazione dei riti: nella Messa[96], nelle ordinazioni[97], negli ornamenti liturgici[98] e nelle celebrazioni della Cappella papale[99]. L'esigenza di semplificazione dei riti, proprio a partire da quelli della Cappella papale, emerse fin dal giorno

---

[92] PCP, p. 353.

[93] Cf. PCP, pp. 354-355.

[94] « In Ecclesia latina, panes eucharistici azymi maiori altitudine polleant eorumque magnitudo communicantibus suadeat se verum Christi Corpus sub speciebus panis suscepisse » (PCP, p. 358).

[95] « Cura ponendi Tabernaculum in praestantissimo ecclesiae loco non impediat missam versus populum celebrandam » (PCP, p. 353); « Sedes Sacrificii, altare maius, in loco dignissimo, patenti et conspicuo erigatur ita ut ad libitum ad eum missa versus populum celebrari possit » (PCP, p. 360).

[96] « Ante omnia, plures ritus aut formulae precum, dicendum nobis est, decursu temporis additae (preces in plano altaris, ultimum evangelium) aeque ac textus repetiti supprimantur » (PCP, p. 348).

[97] « Ritus ad pristinam simplicitatem liturgiae romanae reducantur, praesertimque supprimantur omnia quae a Guillielmo Durando in Pontificali addita sunt » (PCP, p. 354).

[98] Docti christifideles concors faciunt votum ut numerus ornamentorum liturgicorum decrescat formaque eorum pulchritudinem colat... Ad missam celebrandam sufficit, ut ita dicamus, ut sacerdos alba utatur, cingulo praecingatur et casulam induat ». (PCP, p. 358).

[99] « Plures usus traditionesque, quibus Romani rationabiliter plaudunt, nullo modo extra Urbe tolerari possunt, ex. gr. Copiae ornatae in Basilica S. Petri. Populus Christianus, qui duorum totius mundi bellorum injurias onusque cognovit necnon portavit, juxta ex causa aborre imperia militum armorumque sonitus quae consecrationis Corporis et Sanguinis Domini comitantur... Ceremoniae simpliciores reddantur. Nam in Sanctuario Altissimi Summus Pontifex non temporali Principis auctoritate sed dignitate Episcopi Romani Ecclesiaeque catholicae fungitur » (PCP, p. 359).

dell'apertura del Concilio, se un acuto osservatore come padre Y. Congar, al ritorno della cerimonia inaugurale, annotava nel suo diario: « Il movimento liturgico non è arrivato nella Curia romana »[100].

Non poteva mancare la ricorrente questione della lingua volgare da utilizzare nella liturgia. Se ne auspica l'introduzione in diverse celebrazioni: dall'Ufficio divino parrocchiale, alla benedizione nuziale, al canto. La questione però viene affrontata anche in modo più esplicito, riportando i risultati delle votazioni svolte in sottocommissione. In modo unanime i membri si sono espressi a favore dell'introduzione delle lingue volgari nelle letture bibliche, nella preghiera dei fedeli, nell'amministrazione dei sacramenti, non esclusi gli esorcismi battesimali e le ammonizioni nei riti di ordinazione, e nell'Ufficio divino celebrato con concorso di popolo. A maggioranza invece è approvata la richiesta di utilizzare la lingua volgare nel canto dell'ordinario e del proprio della Messa e nelle forme sacramentali, esclusa soltanto l'Eucaristia[101].

Troviamo poi riferimenti alla questione dell'adattamento. Citiamo a titolo esemplificativo la proposta di affidare alle Conferenze Episcopali la redazione dei rituali per la celebrazione del Matrimonio[102] e il significativo richiamo al fatto che nemmeno le nazioni europee possono essere escluse dall'opera di adattamento[103].

Infine l'esigenza di promuovere la formazione alla liturgia. In primo luogo del clero, perché la partecipazione dei fedeli esige che i sacerdoti abbiamo una vera nozione pastorale della liturgia che comprende:

> notiones Bibliae, Patrum, Theologiae et Liturgiae; notiones hominis [*hominis* cancellato e sostituito con: *anthropologiae*], sensum rerum sacrarum, vitam interiorem cultam ab amore Ecclesiae et meditatione; primae

---

[100] « Inizia la Messa, cantata esclusivamente dalla Sistina: qualche brano di gregoriano (?) e altri polifonici. Il movimento liturgico non è arrivato nella Curia romana. Questa immensa assemblea non dice niente, non canta niente... Nessuna parola spirituale. So che adesso verrà intronizzata una Bibbia. Ma parlerà? Sarà ascoltata? Vi sarà un momento per la Parola di Dio? Dopo l'epistola lascio la tribuna. Non ne posso proprio più... Tutta la Chiesa era là, personificata nei suoi pastori. Mi spiace, però, che si sia voluto uno stile di celebrazione così estraneo alla verità delle cose. Cosa sarebbe stato se quelle 2500 voci avessero potuto cantare assieme almeno il Credo, meglio l'intera Messa, al posto degli eleganti gorgheggi di quei professionisti stipendiati? ». Y. CONGAR, *Diario del Concilio*, vol. I, San Paolo, Cinisello Balsamo, 2005, pp. 146-147.

[101] Cf. PCP, pp. 356-357.

[102] Cf. PCP, p. 345.

[103] « Attamen affirmandum nobis est, si Liturgia ad traditiones ingeniumque populorum novissimis temporibus ad christianismum conversorum accomodetur oporteat, maximam curam adhibendam esse ut ritus sacri ad mentem accomodentur nationum Europae quae Domino tergum verterunt quibusque media [corretto con: *signa*] liturgica saepe non minus quam gentilibus Extremi Orientis et Africae Centralis obscura manent » (PCP, p. 358).

notiones technicae in arte recitationis, sine quibus omnes reformae liturgicae nullum fructum afferre poterint: si in Liturgia verbo Dei dignus locus reservatur, clerici illud <u>distincte</u> et <u>aperte</u> proclamare sciant; ideoque verbum Dei, etiamsi minister Ecclesiae illud lingua vernacula legatur, aures populi attingere spiritumque eius utiliter movere debet[104].

Naturalmente accanto alla formazione del clero è necessaria quella del popolo. L'educazione religiosa infatti deve seguire nuove modalità che non facciano solo riferimento a nozioni astratte, ma che traggano ispirazione dalla Bibbia e dalla storia della salvezza. Proprio in questa prospettiva la liturgia gioca il proprio ruolo, infatti

> Vita liturgica communitatis christifidelium inseratur oportet omnibus suis officiis apostolicis et omnibus suis obligationibus humanis. Coetus dominicae, qui baptizatorum communitatem colligit, circum Librum et Calicem, juxta illa papae Joannis XXIII feliciter regnantis, vertex hebdomadarius vitae christifidelium esto, eamque totam pleno jure regat[105].

7. La questione della partecipazione attiva nei lavori delle altre sottocommissioni

Come è facile intuire, il tema della partecipazione attiva dei fedeli alla liturgia non è stato trattato solo dalla sottocommissione appositamente istituita, ma è rintracciabile anche nei lavori delle altre sottocommissioni. Non intendiamo qui presentare analiticamente il dibattito di ogni sottocommissione, ma, partendo dalle relazioni presentate nella sessione plenaria dell'aprile 1961, richiameremo gli elementi più significativi che hanno arricchito la riflessione. Potremmo considerarli attorno a due ambiti fondamentali: gli aspetti teologici della questione e le proposte rituali.

Nel primo ambito sono da collocare tutte quelle considerazioni che vanno alla ricerca di un fondamento teologico alla partecipazione dei fedeli. Due sono le piste che vengono percorse. La prima si pone sul versante della liturgia stessa: la partecipazione attiva di tutti i fedeli alla celebrazione liturgica è richiesta dalla natura stessa della liturgia. Nel capitolo « De mysterio sacrae Liturgiae » si dichiara che « Ipsamet liturgica celebratio non esset authentica, nisi ea durante pastor conetur ut populus actuose, praesertim vero conscie et fructuose participet »[106]. A questa espressione fa eco quella che troviamo nel « De Officio Divino »:

---

104 PCP, p. 357.
105 *Ibidem.*
106 PCP, p. 228.

« Officium Divinum, natura sua, est oratio ex participatione sacerdotii Christi »[107]. Più avanti, giustificando l'obbligatorietà della preghiera, si dice che questa non si fonda su una mera evoluzione storica, ma nasce come esigenza della stessa fede cristiana: « omnis christianus, quia a Deo creatus ac redemptus est, Deum semper suppliciter exorare laudesque Eius decantare tenetur »[108]. Anche a proposito dei sacramenti si dice che essi non sono atti privati, « sed totius Ecclesiae cui intersunt, sive Ecclesiae universalis, sive et praesertim illius partis eiusdem quae concrete in paroecia exprimitur et repraesentatur »[109]. I sacramenti dunque sono diretti alla partecipazione dei fedeli perché questi sono membra del Corpo mistico di Cristo. La partecipazione trova il suo fondamento nella natura stessa della liturgia, che è celebrazione di tutta la Chiesa e quindi tutti coloro che sono membri del Corpo di Cristo sono non solo i destinatari, ma anche i soggetti. Il Corpo infatti non può agire separato dal Capo e viceversa. La verità dell'incarnazione porta come sua conseguenza anche il fatto che la liturgia è azione divina e umana. A questo proposito è significativo che nel « De Liturgiae aptatione ad traditiones et ingenium populorum » la necessità – facciamo notare: non solo la possibilità, ma la necessità – dell'adattamento della liturgia deriva dal mistero dell'incarnazione: « Necessitas aptationis liturgicae ultimo in dogmate fundamentali Incarnationis fundatur »[110]. A questo proposito è inoltre opportuno notare che queste affermazioni sull'adattamento, oltre a essere fondate sul mistero dell'incarnazione, trovano la loro giustificazione anche dal punto di vista antropologico. L'uomo infatti non è un essere astratto, ma va compreso nella sua realtà concreta e storica. Così si esprimeva con grande apertura il papa Pio XII in una sua allocuzione al Collegio cardinalizio:

> Se in determinati tempi e luoghi, l'una o l'altra civiltà, l'uno o l'altro gruppo etnico o ceto sociale hanno fatto più che altri sentire il loro influsso sulla Chiesa, ciò non significa però che essa s'infeudi ad alcuno, né che s'impietrisca, per così dire, in un momento della storia, chiudendosi ad ogni ulteriore sviluppo. Al contrario, china com'è sull'uomo con una incessante attenzione, ascoltando tutti i battiti del suo cuore, essa ne conosce tutte le ricchezze, ne percepisce tutte le aspirazioni con quella chiaroveggente intuizione e penetrante finezza, che possono derivare soltanto dal lume soprannaturale della dottrina di Cristo e dal calore soprannaturale della sua divina carità. Così la Chiesa nel suo progresso segue

---

[107] PCP, p. 276.
[108] *Ibidem.*
[109] PCP, p. 295.
[110] PCP, p. 363.

senza sosta e senza urto il cammino provvidenziale dei tempi e delle circostanze. Tale è il senso profondo della sua legge vitale di continuo adattamento, che alcuni, incapaci di sollevarsi a questa magnifica concezione, hanno interpretato e presentato come opportunismo. No, la comprensione universale della Chiesa non ha nulla che vedere con la strettezza di
una setta, né con la esclusività di un imperialismo prigioniero della sua
tradizione[111].

La seconda pista percorsa è quella che esplora il tema della partecipazione al sacerdozio di Cristo:

> Ecclesia ex participatione sacerdotii Christi indispensabiliter obligata est
> ad orandum pro hominibus... Ceteri fideles, qui etiam ipsi per characteres
> Baptismatis et Confirmationis participant sacerdotium...[112].

Così afferma J. Pascher introducendo il dibattito sull'Ufficio Divino.
E nella relazione della sua sottocommissione[113] si afferma che tutta la
Chiesa è chiamata « in sacerdotium » e che ogni membro della Chiesa a
modo proprio « ordine hierarchico, secundum charatcteres baptismatis,
confirmationis ac ordinis, sacerdotium Christi participant ». Quindi anche coloro che non sono ordinati,

> vi baptismatis ac confirmationis, sacerdotium Christi participant eaque de
> causa suo modo ad orationen sacerdotalem peragendam deputati sunt,
> etiamsi non sunt monachi aut moniales.

Il riunirsi in preghiera del Vescovo e del suo gregge è infatti

> imago totius Ecclesiae eiusque sacerdotii universalis secundum gradus
> hierarchicos. Interno charactere sacramentorum baptismatis ac confirma-
> tionis fideles cum sacerdotibus, charactere ordinis insignitis, coniunguntur.

Le proposte di natura rituale, riprendono quanto già notato a proposito delle considerazioni offerte dalla sottocommissione « de participatione ». Si insiste spesso sull'introduzione della lingua del popolo[114], sulla
chiarezza e sulla semplicità dei riti[115], su alcuni elementi di partecipazione

---

[111] Pio XII, "Allocutio", 20 febbraio 1946, in *AAS* 28 (1946) 146.

[112] PCP, p. 143.

[113] Le citazioni che seguono sono tratte tutte da PCP, p. 276.

[114] « Quia Scriptura sacra locum tam eminentem in liturgia habet, optandum est valde ut
omnes lectiones Scripturae... fidelibus proclamentur linguae quae omnibus sit perspicua »
(PCP, p. 229). Cf. anche l'esigenza di ulteriore estensione dell'uso delle lingue volgari in PCP,
p. 239, PCP, p. 250, PCP, p. 296.

[115] « Ritus extruatur modo simplici et claro, omnium fidelium captui accomodato; sint
brevitate perspicui, neque generatim commentationibus indigeat ut intelligantur » (PCP, p. 310).

diretta di natura rituale, come ad esempio la presentazione dei doni[116], la possibilità dell'altare verso il popolo[117].

8. La redazione dei tre schemi della Costituzione liturgica prima della sua presentazione alla Commissione centrale

Terminato l'esame delle varie relazioni, lunedì 24 aprile, ultimo giorno della sessione plenaria, la Commissione preparatoria si dedicò alla paziente lettura dei *vota*, emendati dopo la discussione fatta nei giorni precedenti[118]. A conclusione della discussione, P. Bugnini illustrò ai presenti le tappe successive del lavoro. Esso prevedeva una prima redazione di una bozza di Costituzione, che sarebbe stata inviata a tutti i membri perché potessero far giungere le loro osservazioni. In base agli emendamenti la segreteria avrebbe redatto una seconda bozza, da inviare nuovamente a tutti in vista della convocazione di una nuova sessione plenaria per l'approvazione del testo da consegnare alla Commissione centrale e quindi ai Padri del Concilio[119].

La prima bozza venne inviata il 10 agosto 1961[120]. Il testo si presentava ordinato secondo alcuni criteri illustrati nella lettera accompagnatoria[121]: una parte introduttiva su questioni di carattere generale e dottrinale; l'articolazione dei temi in otto capitoli, ciascuno dei quali corredato da uno *schema comparativum*[122] per facilitare il confronto con il testo approvato nella sessione di aprile; un metodo espositivo chiaro e lineare per cui all'interno di ogni capitolo i paragrafi risultano così articolati: il *votum* o canone, per enunciare il principio generale di carattere dottrinale o pastorale, la *declaratio* per mostrare le conseguenze pratiche o per illustrare la *mens* del *votum* stesso, le *notae*, per offrire una essenziale documentazione a sostegno delle affermazioni fatte. Su questa prima bozza giunsero circa 1500 proposte ed emendamenti, riguardanti soprattutto il primo capitolo.

---

[116] « Sacerdoti traditur oblatio modo aliquo quo appareat populi participatio, v. gr. eo quod a repraesentantibus populi oblatio afferatur » (PCP, p. 238).

[117] « Versus populum Missam dicere etiam sine speciali licentia concessum sit » (PCP, p. 249); « ... liceat Sacrificium missae celebrare versus populum in altari apto... » (PCP, p. 415).

[118] Cf. PCP, pp. 213-221.

[119] Cf. PCP, p. 221.

[120] Cf. PCP, pp. 460-835 (pagine pari).

[121] Cf. PCP, pp. 429-430.

[122] Cf. PCP, pp. 451-459. La redazione dell'agosto 1961, infatti, riordinò il materiale in distinti capitoli con particolare attenzione a evitare ripetizioni e a utilizzare una terminologia omogenea. La tabella comparativa serviva a rintracciare i testi approvati dalla plenaria nella loro nuova collocazione. Per quanto riguarda il « de fidelium participatione » cf. PCP, p. 452.

La seconda redazione vide la luce il 15 novembre 1961[123]. Venne inviata nuovamente ai componenti della Commissione con la possibilità di ulteriori emendamenti e proposte, che giunsero ancora numerosi. Si arrivò così alla riunione plenaria convocata per i giorni 11-13 gennaio 1962 alla quale venne presentato un nuovo schema, riformulato tenendo conto delle osservazioni giunte[124].

La sessione plenaria prese avvio nella mattina dell'11 gennaio. Dopo il saluto del card. G. Cicognani[125], il segretario presentò la *ratio* del lavoro. Si trattava di esaminare per l'ultima volta il testo, nella sua terza redazione, per l'approvazione definitiva. Si lessero solo i *vota* procedendo in questo modo: lettura del *votum*, eventuali interventi dei Consultori prima e dei Membri della Commissione poi, voto dei Membri della Commissione[126]. L'esame terminò il 13 gennaio. Dalla plenaria emerse il testo che venne consegnato al card. Presidente il 22 gennaio perché apponesse la propria firma e lo consegnasse alla Commissione Centrale preparatoria. Questo avvenne il 1° febbraio 1962[127]. Fu anche l'ultimo atto ufficiale del card. Cicognani che dopo pochi giorni, il 5 febbraio 1962, morì. Con la consegna del testo della Costituzione la Commissione preparatoria « de sacra Liturgia » terminò la fase più impegnativa del suo lavoro, ma non venne sciolta diventando attiva come sottocommissione del Concilio. A questo proposito è da segnalare il fatto che A. Bugnini non venne confermato come segretario della Commissione liturgica conciliare:

> La mattina del 7 ottobre 1962, S.E. mons. Pericle Felici mi comunicava che non ero stato confermato come Segretario della Commissione Conciliare liturgica. Arrivato a casa trovai con sincronia perfetta una lettera di mons. Piolanti nella quale mi notificava che "per ordine della Santa Sede" venivo esonerato dall'insegnamento della liturgia pastorale al Laterano. Per quanto cercassi, e abbia fatto cercare, quale fosse stata la fonte di questa disposizione, mai ho potuto saperlo. Quell'etichetta "Santa Sede"

---

[123] Cf. PCP, pp. 460-835 (pagine dispari).

[124] Il testo venne anche rivisto nei suoi aspetti linguistici e stilistici. Il lavoro fu affidato al padre gesuita Vittorio Genovesi dell'Apostolato della preghiera, che inviò le sue correzioni (cf. PCP, pp. 460-835, pagine dispari).

[125] Cf. PCP, p. 436.

[126] Per i verbali della sessione, cf. PCP, pp. 442-450.

[127] Il testo rivisto nella plenaria di gennaio e successivamente dalla Commissione Centrale è pubblicato in PONTIFICIA COMMISSIO CENTRALIS PRAEPARATORIA CONCILII VATICANI II, "Quaestiones de sacra Liturgia. Schema Constitutionis de sacra Liturgia a Commissione liturgica propositum Em.mo ac Rev.mo Domino Cardinali Commissionis Praeside Relatore", in *Acta et documenta Concilio Oecumenico Vaticano II apparando*. Series II (Praeparatoria). Vol. III Acta Commissionum et Secretariatuum praeparatoriorum Concilii Oecumenici Vaticani II. Pars II. Typis Pol. Vat. 1969, pp. 9-68.

restava una sfinge muta a ogni appassionata e abile decifrazione, e Dio me ne guardi di capirne mai il segreto[128].

Per quanto riguarda la questione della partecipazione attiva dei fedeli alla liturgia e del suo fondamento teologico, dopo il dibattito del 20 e 21 aprile, il testo venne rivisto[129].

Nell'*editio recognita* il paragrafo più discusso trovò una nuova formulazione:

> Pastores adhlaborare oportet ut in omni liturgica actione, populus christianus – "populus acquisitionis, gens sancta, regale sacerdotium" – eam actuosam et consciam partem habeat quae "sibi summo officio est" (*Mediator Dei*: AAS 1947, pag. 553), in virtute consecrationis baptismalis[130].

---

[128] A. BUGNINI, « *Liturgiae cultor et amator* ». *Servì la Chiesa. Memorie autobiografiche*, CLV-Edizioni Liturgiche, Roma, 2012, p. 58. Come annota lo stesso Bugnini, una delle insinuazioni che secondo alcuni aveva provocato l'esclusione fu l'accusa « che avrei manomesso, con un gruppo di amici "progressisti" il testo della Costituzione » (*op. cit.*, p. 71). Forse qui Bugnini si riferisce alla vicenda legata alla riunione della prima sottocommissione (De mysterio), tenuta nei giorni 11-13 ottobre 1961 alla *Domus Mariae* per procedere ad una nuova redazione del primo capitolo che aveva ricevuto un elevato numero di emendamenti da parte di membri ed esperti. Come annota padre C. Braga, « Il segreto con cui fu circondata fece nascere la voce che la Segreteria avesse tentato, con alcuni consultori, di manipolare in senso progressista le conclusioni della Commissione. È un indice dell'attenzione e quasi del sospetto con cui venivano seguiti i lavori della Commissione per la liturgia ». C. BRAGA, "La « Sacrosanctum Concilium » nei lavori della Commissione preparatoria", in CONGREGAZIONE PER IL CULTO DIVINO (a cura), *Costituzione liturgica « Sacrosanctum Concilium »*. *Studi*, CLV-Edizioni Liturgiche, Roma, 1986 (= *Bibliotheca « Ephemerides Liturgicae » « Subsidia »* 38), p. 38. In ogni caso l'esclusione di Bugnini provocò amarezza tra gli stessi componenti della Commissione. Un osservatore esterno come padre H. De Lubac, descrivendo la sua partecipazione alla cerimonia inaugurale dell'11 ottobre 1962, annota: « Qui, prima e durante la cerimonia, frasi scambiate con dom Vagaggini, osb dell'abbazia di S. Anselmo, e mons. G. Nabuco, brasiliano. Entrambi sono stati membri della commissione liturgica. Sono irritati perché il segretario della loro commissione è stato sostituito, ed è stato esonerato dal suo incarico di professore alla Lateranense. Si tratta di p. Annibale Bugnini, lazzarista; alcuni erano scontenti dell'orientamento che dava a questa commissione ». H. DE LUBAC, *Quaderni del Concilio*, Tomo I, Jaca Book, Milano, 2009, p. 95. Segnaliamo infine come P. Felici sembra attribuire la scelta al card. Larraona, definendola un errore. Infatti, riportando il desiderio di Paolo VI di nominare Bugnini segretario della costituenda commissione per l'applicazione della Costituzione *de sacra liturgia*, così annota nel suo diario alla data del 1° gennaio 1964: « Per P. Bugnini sono molto contento. Ma per evitare lo sbaglio commesso in antecedenza dal Card. Larraona, si potrebbe pensare a due segretari: Bugnini e Antonelli » e al 2 gennaio si legge: « Il Card. Segretario di Stato vuol vedermi prima dell'udienza del Papa. Sono da lui alle 10.30. Vuol dirmi che per il segretario della nuova Commissione non indichi il nome di P. Antonelli: basta P. Bugnini. Il primo presti la sua opera nei gruppi di studio ». V. CARBONE, *Il "Diario" conciliare di Monsignor Pericle Felici Segretario Generale del Concilio Ecumenico Vaticano II*, Libreria Editrice Vaticana, Città del Vaticano, 2015, p. 365.

[129] Cf. l'*editio recognita* dei canoni in PCP, pp. 332-333.

[130] PCP, p. 332.

Nelle tre redazioni della Costituzione, dobbiamo innanzitutto notare che non compare un apposito capitolo dedicato alla partecipazione, il tema infatti viene collocato nel contesto del primo capitolo che si occupa dei principi generali, che, nella redazione dell'agosto 1961, viene articolato in tre parti: la natura della liturgia e la sua importanza nella vita della Chiesa, la partecipazione attiva e la formazione del popolo e del clero, le norme generali per la riforma liturgica. La seconda e la terza redazione scorporano poi il tema della promozione della vita liturgica nella diocesi e nella parrocchia e della pastorale liturgica facendole diventare una quarta e una quinta parte.

Seguendo la nostra formulazione possiamo notare sinotticamente le sue successive redazioni nei tre schemi[131]:

Agosto 1961 n. 18	Novembre 1961 (Proemio della seconda parte, prima del n. 10)	Gennaio 1962 (Proemio della seconda parte, prima del n. 10)
Nihil carius habet mater Ecclesia nisi ut fideles universi ad plenam illam, consciam atque actuosam in liturgicis celebrationibus, praeprimis sacrosancti Missae Sacrificii, participationem ducantur, quae ab ipsius Liturgiae natura, utpote mystici Christi Corporis actioni, vehementer postulatur, et ad quam populus christianus, "genus electum, regale sacerdotium, gens sancta, populus adquisitionis" (1 Petr 2, 9; cf. 2, 4-5), ipsa sua in hoc Corpore insertione, per baptismi characterem habilitatus et deputatus, ius habet et officium.	Nihil carius umquam habuit mater Ecclesia nisi ut fideles universi ad plenam illam, consciam atque actuosam in liturgicis celebrationibus participationem ducantur, quae ab ipsius Liturgiae natura vehementer postulatur, et ad quam populus christianus, "genus electum, regale sacerdotium, gens sancta, populus adquisitionis" (1 Pe. 2, 9; cf. 2, 4-5), ius habet et officium.	Nihil carius habuit Mater Ecclesia quam ut fideles universi ad plenam illam, consciam atque actuosam liturgicarum celebrationum participationem ducantur, quae ab ipsius Liturgiae natura postulatur et ad quam populus christianus, "genus electum, regale sacerdotium, gens sancta, populus adquisitionis" (1 Pe. 2, 9; cf. 2, 4-5), ius habet et officium.

---

[131] Cf. PCP, pp. 512-513.

Segnaliamo inoltre che nella *Declaratio*[132], che compare però solo nella stesura dello schema dell'agosto 1961, si cerca di definire meglio la questione secondo la *mens* della Commissione. Innanzitutto si dice che l'intento della citazione della prima lettera di Pietro non è per discernere la questione, disputata tra i teologi, se il regale sacerdozio sia da intendersi in senso solo metaforico o in senso più reale. L'intento della citazione è invece di affermare il fatto che ogni cristiano è "gente santa e regale sacerdozio" e che vi è una relazione tra questo sacerdozio regale di tutti i cristiani e il culto in genere. Non si vuole però in ogni caso determinare quale sia la natura di quel culto e di quelle offerte che i cristiani devono offrire a Dio in forza del loro sacerdozio. La prospettiva con la quale leggere il testo è semplicemente quella ispirata dall'allocuzione di Pio XII del 2 novembre 1954 nella quale egli affermò:

> Ceteroquin negari vel in dubium vocari non debet fideles quoddam habere "sacerdotium", neque hoc parvi aestimare vel deprimere licet. Princeps enim Apostolorum, in prima sua epistola, alloquens fideles his utitur verbis: "vos autem genus electum, regale sacerdotium, gens sancta, populus adquisitionis"; et paulo ante ibidem asserit ad fideles pertinere "sacerdotium sanctum, offerre spirituales hostias, acceptabiles Deo per Iesum Christum". At quaecumque est huius honorifici tituli et rei vera plenaque significatio, firmiter tenendum est, commune hoc omnium christifidelium, altum utique et arcanum "sacerdotium" non gradu tantum, sed etiam essentia differre a sacerdotio proprie vere dicto, quod positum est in potestate perpetrandi, cum persona Summi Sacerdotis Christi geratur, ipsius Christi sacrificium[133].

9. Rilievi conclusivi

A conclusione di questa disamina del dibattito nella Commissione preparatoria « de sacra liturgia » sulla partecipazione attiva dei fedeli alla liturgia e sul suo fondamento teologico non è nostro intento proporre una sintesi teologico-liturgica sul tema. Semplicemente, coerentemente con gli obiettivi di questa ricerca, intendiamo mettere in luce alcuni elementi che riteniamo di particolare importanza in relazione allo sviluppo che la questione avrà nel corso del dibattito conciliare e della riflessione teologica successiva.

---

[132] Cf. PCP, pp. 512, 514 e 516.
[133] AAS 50 (1954) 669.

a) *La partecipazione attiva è richiesta dalla natura stessa della liturgia*

La scelta, condivisa da membri e consultori, di non addentrarsi nella *disputata quaestio* del sacerdozio dei fedeli ha favorito l'approfondimento di altri aspetti di significativa rilevanza in ordine alla nozione stessa di liturgia.

Prima di tutto l'affermazione, già presente in testi del magistero preconciliare, del fatto che la partecipazione attiva non può essere considerata una benevola concessione ai non ordinati: essa è infatti richiesta dalla natura stessa della liturgia, che è al tempo stesso comunitaria e gerarchica. Le azioni liturgiche infatti

> non sunt mere privatae, sed celebrationes totius Ecclesiae, quae est "unitatis sacramentum" (S. Cyprianus, *De cath. Eccl. Unitate*, 7), scilicet plebs sancta sub Episcopo adunata et ordinata. Quare ad universum Corpus Ecclesiae pertinent illudque manifestant et afficiunt; singula vero membra ipsius diverso modo, pro diversitate ordinum, munerum et actualis participationis attingunt. Ideo in celebrationibus liturgicis, cum omnes ut unum agant et orent oportet, "quia totus populus unum sumus" (S. Cyprianus, *De dom. Oratione*, 8), tamen suo quisque ordine "praescriptam ministerii sui regulam non transgrediens" (Clemens Romanus, *Cor.* 41, 1), suo cuiusque modo, sine munerum et partium confusione, debito tempore debitaque mensura id facere debet[134].

Se è proprio della natura della liturgia il carattere comunitario, ne deriva l'evidente conseguenza che tutti i battezzati, pur nella differenziazione ministeriale, sono non solo destinatari, ma anche e al tempo stesso soggetti della celebrazione insieme a Cristo: Capo e Corpo infatti non possono agire separatamente[135]. A conferma di quanto affermato possiamo citare il paragrafo 32 dello schema del gennaio 1962, dedicato alla vita liturgica nella diocesi. In esso, dopo aver messo in luce il ruolo centrale del Vescovo come « magnus sacerdos sui gregis », si dichiara che la « praecipuam manifestationem Ecclesiae » si ha proprio « in plenaria et actuosa participatione totius plebis sanctae Dei in iisdem celebrationibus

---

[134] Così l'introduzione alla quarta parte della terza sessione del primo capitolo nello schema del gennaio 1962. Cf. PCP, pp. 571-573.

[135] Il *Catechismo della Chiesa Cattolica* farà propria questa prospettiva: « È tutta la *Comunità* [Tota *communitas*... celebrat] il Corpo di Cristo unito al suo Capo, che celebra. "Le azioni liturgiche non sono azioni private, ma celebrazioni della Chiesa, che è 'sacramento di unità', cioè popolo santo radunato e ordinato sotto la guida dei vescovi. Perciò [tali azioni] appartengono all'intero Corpo della Chiesa, lo manifestano e lo implicano; i singoli membri poi vi sono interessati in diverso modo, secondo la diversità degli stati, degli uffici e dell'attuale partecipazione" » (n. 1140).

liturgicis »[136]. Appare quindi con sufficiente chiarezza che la partecipazione « plena » o « plenaria » non è riferita solo al fatto di essere al tempo stesso esterna e interna, come si spiega nella *declaratio* dello schema dell'agosto 1961[137], ma anche, e forse soprattutto, si vuole affermare che la sua origine sta nell'appartenenza al popolo di Dio di ciascun fedele, che non abbisogna di particolari deleghe per esercitare il proprio « ius et officium »[138].

In questo modo non si entra nella questione della modalità propria della partecipazione dei battezzati al sacerdozio di Cristo e soprattutto dell'esercizio di questo sacerdozio, ma al tempo stesso si allude al fondamento sacramentale della partecipazione, perché il cristiano è membro del popolo santo di Dio in virtù del battesimo[139].

b) *Ascolto della parola di Dio e partecipazione alla liturgia*

Una seconda intuizione di notevole importanza è quella che mette in luce il valore dell'ascolto della parola di Dio in ordine alla partecipazione attiva. Il raduno del popolo di Dio, fin dall'Antico Testamento, avviene attraverso la "Parola", che Egli dona e l'assenso di fede che questa Parola suscita. La struttura dialogica della proclamazione – ascolto della parola di Dio è messa così in luce. Non solo, questa Parola, che trova il suo vertice nella pienezza dei tempi con l'incarnazione del Figlio (*Eb* 1, 1), costruisce la Chiesa, manifestata dal radunarsi dell'assemblea liturgica. Proprio per questo la partecipazione attiva incomincia dall'ascolto:

> Prima ergo pars populi in sacra liturgia ea est ut recipiat fideliter donum Dei praevenientis, quod est ejus verbum. Porro fides inprimis alitur per auditum verbi Dei in liturgia ab Ecclesia proclamati[140].

---

[136] PCP, p. 589.

[137] Cf. PCP, p. 512 e 514.

[138] Così, almeno a posteriori, interpreta il testo H. Schmidt, in un suo commento alla Costituzione liturgica conciliare: « L'addition "plenus, plenarius – plein, complet" vise entre autre le fait que le complet épanouissement de la participation liturgique trouve son origine dans la qualité de membre du Corps mystique de chaque fidèle et ne nécessite pas le mandat spécial d'autre membres plus haut placés ». H. SCHMIDT, *Constitution de la sainte liturgie. Texte – Genèse – Commentaire – Documents*, Editions Lumen Vitae, Bruxelles, 1966, p. 204.

[139] Il riferimento esplicito al battesimo, presente nello schema dell'agosto 1961 (per baptismi characterem habilitatus et deputatus), scompare nelle due redazioni successive (cf. PCP, pp. 512-513), per ritornare nel testo approvato della Costituzione liturgica conciliare con l'inciso: « vi baptismatis » (SC 14).

[140] PCP, p. 334.

L'affermazione prepara quella che troviamo nel proemio del capitolo II, dedicato al mistero eucaristico, dove l'*actuosa participatio* viene messa prima di tutto in relazione con la partecipazione alla mensa della Parola e del Corpo del Signore:

> Itaque curat Ecclesia ut christifideles huic mysterio fidei non velut iner-tes et muti spectatores intersint, sed ut ritus et preces bene intellegentes, ea actuose, conscie, et pie participent, mensa cum verbi tum corporis Domini reficiantur[141].

Da queste considerazioni consegue l'affermazione, introdotta dalla Segreteria e presentata nella sessione plenaria del gennaio 1962[142], nella quale si ribadisce che

> Maximum est sacrae Scripturae momentum in Liturgia celebranda, ex ea enim lectiones audiuntur et in homilia explicantur, atque ex eius afflatu instintuque preces, orationes et carmina liturgica effusa sunt et ex ea si-gnificationem suam actiones et signa accipiunt[143].

Visto che l'atteggiamento del corpo, i gesti e le parole con i quali si esprime l'azione liturgica hanno la loro origine e trovano il loro signifi-cato non solo nell'esperienza umana, ma nella parola di Dio e nell'eco-nomia della salvezza, l'ascolto della parola di Dio è da considerarsi elemento costitutivo della partecipazione attiva[144]:

> Unde ad procuranda sacrae Liturgiae instaurationem, progressum et apta-tionem, oportet ut promoveatur ille suavis et vivus sacrae Scripturae af-fectus, quem testatur venerabilis rituum cum orientalium tum occiden-talium traditio[145].

c) « *Tutta l'assemblea è "liturga"* »

Fin dai primi paragrafi delle tre redazioni della fase preparatoria del-la costituzione liturgica emerge non solo l'intima relazione tra la liturgia

---

[141] PCP, p. 601. Il testo sarà poi presente in SC 48, con una significativa variante: i « ritus et preces » non saranno più l'oggetto del « bene intellegentes », ma sarà proprio attraverso di essi, « per ritus et preces », che questa intelligenza del mistero sarà possibile.

[142] « Tria vota sunt noviter introducta: unum de mente biblica in instauratione liturgica in-culcando... ». Relazione di A. Bugnini in apertura della sessione del gennaio 1962 (PCP, p. 439).

[143] Schema del gennaio 1962, n. 19 (PCP, p. 547).

[144] Leggiamo a questo proposito nei *Praenotanda* dell'*Ordo lectionum Missae*: « ... tanto più è la partecipazione dei fedeli all'azione liturgica, quanto più profondamente nell'ascolto della parola di Dio in essa proclamata, i fedeli stessi si sforzano di aderire al Verbo di Dio incarnato nel Cristo, impegnandosi ad attuare nella loro vita ciò che hanno celebrato nella liturgia e di ri-scontro, a trasfondere nella celebrazione liturgica il loro comportamento quotidiano » (n. 6).

[145] PCP, p. 549.

e il mistero della Chiesa, ma soprattutto il fatto che la celebrazione liturgica stessa è eminente manifestazione della natura della Chiesa:

> Liturgia enim, per quam opus Redemptionis exercetur, summe confert ut fideles vivant et aliis manifestent mysterium Christi et genuinam verae Ecclesiae naturam[146].

Questa manifestazione non può che avvenire nel momento della celebrazione stessa, per cui, come aveva affermato Jounel nella sua relazione [11], il radunarsi del popolo di Dio è il primo "segno" liturgico. È impossibile infatti definire la liturgia come atto sacerdotale della Chiesa e sua epifania senza evocare l'assemblea liturgica. Essa infatti, sempre secondo Jounel,

> est à la fois la manifestation visible, le signe sensible du Corps mystique du Christ, et le moyen privilégié par laquel se contruit chaque jour davantage le Corps du Christ: *Mysterium nostrum in mensa dominica positum est*, selon l'expression célèbre de S. Augustin, que rapporte Pie XII (ibid. p. 559). L'Eglise fait l'Eucharistie et l'Eucharistie bâtit l'Eglise. Or cette double activité essentielle, dans laquelle se fondent la glorification de Dieu et la sanctification de l'homme, c'est dans l'assemblée liturgique qu'elle se déroule. Telle est la raison pour laquelle le chrétien qui veut glorifier le Seigneur et s'unir intimement au mystère rédempteur doit considérer comme son summum officium et sa summa dginitas le fait d'apporter une participation "active et intelligente" (AAS 1956, p. 716) à l'assemblée liturgique [11].

In quegli anni il tema dell'assemblea liturgica era stato particolarmente approfondito da A.-G. Martimort con alcuni articoli apparsi sulla rivista *La Maison-Dieu*[147], si capisce quindi come Jounel proponga di considerare l'assemblea liturgica come "segno globale" della celebrazione. Anche se negli schemi delle tre redazioni preparatorie non troviamo un esplicito e diretto riferimento all'assemblea liturgica come segno globale, appare però con sufficiente chiarezza che se la liturgia è epifania del mistero della Chiesa e se la natura comunitaria dell'azione liturgica è indissolubilmente legata alla natura stessa della liturgia, essa richiede l'azione di tutta l'assemblea riunita. Leggiamo nella *declaratio* del paragrafo 107 della redazione dell'agosto 1961:

> Olim quidam putabant liturgiam rem esse cleri. Renascentia liturgica hodierna in lucem posuit veram naturam liturgiae requiri actionem totius

---

[146] PCP, 461.

[147] Cf. A.-G. MARTIMORT, "L'assemblée liturgique", in *LMD* 20 (1949) 153-175; "L'assemblée liturgique, mystère du Christ", in *LMD* 40 (1954) 5-29; "Précision sur l'assemblée", in *LMD* 60 (1959) 7-34; "Dimanche, assemblée et paroisse", in *LMD* 60 (1959) 55-84.

cristiani coetui congregati una cum sacerdote. Huic principio omnia liturgiae elementa inservire debent[148].

Se da un lato, per quanto riguarda la validità, la liturgia può essere celebrata senza un'assemblea radunata, dall'altro però la celebrazione richiama sempre la riunione dei fedeli, perché l'assemblea liturgica è la manifestazione più espressiva della Chiesa, perché nell'assemblea liturgica Cristo stesso è presente[149]. Scrive Martimort:

> I Padri dicono dell'assemblea liturgica particolare ciò che è proprio della Chiesa intera: che essa è il Corpo di Cristo, al punto che non venire all'assemblea è diminuire il Corpo di Cristo; i cristiani sono invitati a radunarsi "come in un solo Tempio di Dio"; la voce dell'assemblea è la voce della Chiesa, sposa di Cristo; il sacrificio offerto nell'assemblea è la Messa, memoriale della presenza del sacrificio della Croce che fa la Chiesa[150].

L'idea passerà successivamente nella Costituzione liturgica conciliare e verrà esplicitata in modo chiaro e inequivocabile nel *Catechismo della Chiesa Cattolica*: « L'assemblea che celebra [celebrans congregatio] è la comunità dei battezzati » (n. 1141), quindi « nella celebrazione dei sacramenti, tutta l'assemblea è "liturga" [tota congregatio "liturgus" est], ciascuno secondo la propria funzione, ma nell'"unità dello Spirito" che agisce in tutti » (n. 1144)[151].

---

[148] PCP, p. 794.

[149] « Christus Ecclesiae suae semper adest, praesertim in actionibus liturgicis, ipse est qui promisit: "ubi sunt duo vel tres congregati in nomine meo, ibi sunt in medio eorum" (*Mt* 18, 20) ». Schema del gennaio 1962, paragrafo 3 (PCP, p. 483).

[150] A.-G. MARTIMORT, *La Chiesa in preghiera. Introduzione alla liturgia*, Desclée, Roma – Parigi, 1963, p. 98. Cf. anche Y. CONGAR, "L'Ecclesia ou communauté chrétienne, sujet intégral de l'action liturgique", in *La liturgie après Vatican II*, du Cerf, Paris, 1967, pp. 241-282.

[151] L'affermazione era già di Congar: « Du culte de la communauté ecclésiale, tous les fidèles sont célébrants, mais le prêtre hiérarchique est le ministre normal. Non plus, au sens fort ou étroit du mot, ministre du Christ, mais ministre *de l'Église* » (Y. CONGAR, *Jalons pour une théologie du laïcat*, du Cerf, Paris, 1953, p. 272). Comunque ben prima di Congar, Tommaso d'Aquino, riflettendo sul ruolo del ministro in ordine all'effetto del sacramento, scriveva nella *Summa*: « Ad secundum dicendum quod orationes quae dicuntur in sacramentorum collatione, proponuntur Deo non ex parte singularis personae, sed ex parte totius Ecclesiae » (*Summa Theologiae*, Pars III, q. 64, a. 1 ad 2).

DOCUMENTI

ELENCO DEI DOCUMENTI

AVVERTENZE

I testi che qui presentiamo sono la fedele trascrizione dei dattiloscritti o dei manoscritti conservati nel fondo *Concilio Vaticano II* dell'Archivio Segreto Vaticano.

Nella trascrizione sono stati corretti gli evidenti refusi nel testo, non si sono invece corretti gli eventuali errori o scorrettezze grammaticali e/o stilistiche presenti nel testo latino o in altre lingue.

Per quanto riguarda l'uso delle maiuscole, delle virgolette, delle sottolineature e della grafia dei nomi non italiani, il non coerente impiego rispetta i testi originali, redatti in momenti diversi e da persone diverse, che non hanno adottato un uniforme criterio.

1. Pro Memoria dell'abate Giovanni Cannizzaro (ASV, *Conc. Vat. II*, Busta 1361)

SUBCOMMISSIO NONA COMMISSIONIS LITURGICAE
PRO MEMORIA

1) Sodales subcommissionis nonae, cui demandatum est studium de participatione activa fidelium in S. Liturgia, dum in conclusionibus practicis concordes plus minusve sunt, quoad propositionem doctrinalem in qua exhibetur tamquam fundamentum huiusmodi participationis sacerdotium ipsorum fidelium, sive in scriptis a singulis redactis, sive in discussionibus quae ortae sunt in sessione Romae die nona februarii habita, omnino non conveniunt.

2) Per se ad fundamentum illustrandum participationis activae, sufficerent ea quae dicuntur in Enciclica "Mediator Dei" (AAS p. 555). Tamen subcommissio unanimiter putat expedire quod Concilium doctrinam de sacerdotio fidelium accurate determinet et in suis veris limitibus definiat, quia agitur de argumento maximi momenti, quod hodie fere semper proponitur in coetibus liturgicis, et ad quod saepe saepius recurritur quando tractatur de fundamento dogmatico Actionis catholicae, vel de intima natura catholici laicatus.

3) Notus est totus status quaestionis quae hic breviter recapitulatur:
a) Ante omnia adsunt duo errores inter se oppositi, quorum unus ita in maius extollit sacerdotium fidelium ut illud solum admittat negando sacerdotium hierarchicum ab eo realiter distinctum; alter vero ad magis tuendum sacerdotium hierarchicum negat quodlibet sacerdotium fidelium.
b) Adsunt aliae duae positiones erroneae, quarum prima tenet exercitium sacerdotii fidelium requiri ut sacerdotium hierachicum recte actionem liturgicam celebret; secunda vero putat sacerdotium fidelium tantummodo esse metaphoricum et nullo modo influere in participationem activam fidelium in S. Liturgia.
c) Inter auctores catholicos de hac re multae sunt controversiae, inter quas haec est praecipua:
— Iuxta quosdam, textus Scripturae et Traditionis loquuntur de sacerdotio fidelium in sensu proprio, et liturgico, tamen omnino tantummodo analogice et non univoce. Ideo participatio activa fidelium in S. Liturgia secundum ipsos fundatur super hoc sacerdotium a quo ontologice procederet et viam attingeret.
— Iuxta alios vero, textus Scripturae et Traditionis de sacerdotio fidelium directe et praevalenter loquerentur in sensu spirituali et morali, non cultuali et liturgico. Ideo fundamentum primarium et directum activae participationis fidelium ad S.

Liturgiam non esset eorum sacerdotium sed pertinentia eorum ad mysticum Corpus Christi. Quia Liturgia est cultus totius corporis mystici, singulis fidelis eo ipso quod est membrum huius corporis ius habet et vim active participandi actioni communitariae ipsius.

4) Humilis subscriptus voluisset in ipsa sessione romana subcommissionis instituere disputationem doctrinalem ad colligenda et analisi criticae subicienda testimonia quibus quaestio potuisset dirimi; tamen sodales omnes prudentius duxerunt totam quaestionem tractandam a peritis (specializzati) et ab eis dirimendam ita ut ex eorum conclusionibus conficeretur schema doctrinale de quo relator referret in sessione plenaria.

5) Ideo nomine subcommissionis rogo ut Rev.mus Secretarius Commissionis Liturgicae, si ipsi videtur, statuat quomodo convocandi sint supradicti periti, quomodo constituendi sint in aliquam subcommissionem mixtam ut disputent de hac re et mature concludant et sic conclusiones suas subcommissioni nonae communicent ad convenienter illustrandam et evolvendam primam quaestionem de sacerdotio fidelium ei propositam.

6) Sodales omnes subcommissionis nonae convenerunt ut peritis proponerentur quaesita quae sequuntur:
a) Utrum sacerdotium fidelium non solum in sensu morali et spirituali verum etiam in sensu cultuali et liturgico vere contineatur in textibus notis S. Scripturae. Ideo critice determinetur extensio et sensus huiusmodi textuum.
b) Utrum revera maior pars testimoniorum Traditionis de sacerdotio fidelium intendi debeant in sensu spiritali et morali, vel in sensu cultuali et liturgico.
c) Utrum theologice possit sustineri activa participatio fidelium ad S. Liturgiam absque fundamento onthologico quod est character baptismalis per quem homo deputatur ad cultum Dei secundum ritum christianae Religionis, et pro sua condicione ispius Christi sacerdotium participat.
d) Ideo utrum sacerdotium fidelium, recte intellectum, possit et debeat dici fundamentum eorum participationis activae ad S. Liturgiam.

7) Quia omnia paranda sunt ut relator suam relationem tempore statuto redigere valeat et Romam mittere possit, ipse humiliter petit ut tempestive provideatur de supradicta convocatione peritorum.

Genuae, die 21 februarii 1961

D. Ioannes Bruno Cannizzaro O.S.B.

2. Lettera dell'abate Giovanni Cannizzaro ad A. Bugnini (ASV, *Conc. Vat. II*, Busta 1361)

Genova, 23 febbraio 1961

Reverendissimo Padre,
le mie occupazioni e preoccupazioni non lievi di questi ultimi tempi mi hanno impedito di inviarle prima, come sarebbe stato mio dovere e mio desiderio, un rapporto delle discussioni sorte durante la nostra riunione romana. Le domando scusa dell'involontario ritardo.

Per conto mio sono profondamente convinto non solo della utilità ma della urgente necessità che il Concilio si occupi del sacerdozio dei fedeli e ne definisca l'esistenza, la natura, i limiti e i compiti. Ormai se ne parla e se ne scrive continuamente a proposito e a sproposito in tutti i sensi. È necessario che si abbiano idee chiare e sicure senza minimizzare od esagerare il dato rivelato. Spero che per questo non mi giudicherà un attaccabrighe. Lei sa bene che almeno questa volta non ne ho colpa.

Comunque, dopo di aver detto con umile sincerità quel che penso, mi rimetto pienamente a quel che lei deciderà. Attendo sue direttive per regolarmi, in particolare su questo punto, nella stesura della mia relazione.

La prego di gradire i miei più distinti ossequi e cordiali saluti mentre mi confermo

dev.mo nel Signore

D. Giov. B. Cannizzaro O.S.B.

3. Lettera di padre Sebastian Tromp s.j. ad A. Bugnini (ASV, *Conc. Vat. II*, Busta 1361)

PONTIFICIA COMMISSIO THEOLOGICA
PRO CONCILIO OECUMENICO VATICANO II

Ex Civitate Vaticana, die 14 – III – 61

Reverendissime Pater,

Audita Commissione Theologica et verbo facto cum Eminentissimo Card. Praeside ad quaesita in epistola Tua d.d. 1 Martio huius anni respondere liceat, non expedire ut fiat Commissio mixta. Nam primum quaestiones proprie theologicae sunt exclusivae competentiae huius Commissionis Theologicae; deinde ratio habenda est laboris magis urgentis: si enim desideriis tuis et similibus aliunde expressis satisfacerem, iam nunc assistere deberem sex mixtis Commissionibus.

Ad quaesita autem expressa a Rev.mo Abbate Johanne Cannizzaro O.S.B. respondet Commissio:

Ad 1 et 2: non esse S. Concilii Vaticani II dirimere huiusmodi quaestiones difficiles. Ad 3 et 4: procedatur ex iis, quae tamquam doctrina communis docentur in Encyclica de S. Liturgia.

Facta autem in Commissione Liturgica constitutione "de participatione fidelium in S. Liturgia" vel aliis huius generis, eam secundum desiderium Sanctitatis D.N. Johannis XXIII mittere velis ad hanc Commissionem Theologicam ut, unice quod ad theologica spectat, revideatur.

Cum magna aestimatione debitisque obsequiis me profiteor dev.mum in D.no.

Seb (?) Tromp s.j.
a secretis

Rev.mo Patri
Annibale BUGNINI, C.M.
Secretario Pont. Comm. Liturg.

LETTERE RIGUARDANTI LE CONSULTAZIONI ESTERNE

4a. Lettera di A. Bugnini con la richiesta di contributo sulla questione « de natura et valore precationis Christifidelium » (ASV, *Conc. Vat. II*, Busta 1361)

24 ianuarii 1961 – sub secreto

Reverendissime Pater,
Iussu Eminentissimi Cardinalis Gaetani Cicognani, Praeside huius Pontificiae Commissionis, ad te mitto inclusam quaestionem ut ei opportunam solutionem dare faveas.
Gratum mihi foret si responsionem acciperem intra diem 10 martii 1961.
Gratias in antecessum agens, laetor me profiteri
Paternitatis Tuae Reverendissimae
Add.mum famulum

(A. Bugnini, a secretis)

4b. Appunto di A. Bugnini (ASV, *Conc. Vat. II*, Busta 1361)

Chiesto il voto sulla "precatio publica":

1. P. Karl RAHNER, SJ, Sillgasse 8, Innsbruck, Austria. (398/SL/61)
2. P. A.-M. ROGUET, OP, 11 rue Perronet, Neuilly-sur-Seine, Francia. (399/SL/61)
3. P. SCHILLEBEECKX, OP, Università Cattolica, Nijmegen, Olanda. (400/SL/61)
4. P. Damiano van den EYNDE, OFM, via Merulana 124, Roma. (401/SL/61)

5. Lettera ufficiale con la richiesta di contributo sulla questione « de natura et valore precationis Christifidelium » (ASV, *Conc. Vat. II*, Busta 1361)

PONTIFICIA COMMISSIO DE SACRA LITURGIA
PRAEPARATORIA CONCILII VATICANI II

Prot. 398-401/SL/61
Posiz. SL/S9/C. 20

De natura et de valore precationis Christifidelium

Argumentum magni momenti in ordinanda sacra Liturgia est quaestio de natura et de valore precationis Christifidelium in relatione ad doctrinam de Corpore Christi mystico, seu emanantis ex unione sacramentali, per Baptismum, cum Christo, Capite Ecclesiae, vel etiam, per sacros Ordines, pro Ordinatis.

Accedit quaestio de natura et valore precationis "nomine Ecclesiae", praecipue quoad "Officium divinum", et quidem quantum attinet:
  a) Ad sacerdotes, vel eos qui Sacro Ordine sunt insigniti;
  b) Ad ceteros quos Ecclesia per actum iurisdictionis delegat, vel deputat, vel authorizat, ad precandum "nomine suo";
  c) Ad ceteros christifideles, qui nec Ordine Sacro, nec peculiari delega- tione, aut deputatione, aut authorizatione, ad precandum "nomine Ec- clesiae" sunt vocati.

Desideratur expositio dogmatica, brevis, at praecisa, de materia indicata.

Romae, 24 ian. 1961

6. Lettera di K. Rahner ad A. Bugnini (ASV, *Conc. Vat. II*, Busta 1361)

29.1.61.

Reverendissime Pater,

Accepi litteras Reverentiae Vestrae de die 24.1.61. Conabor id praestare, quod Reverentia Vestra nomine Eminentissimi Cardinalis Gaetani Cicognani a me expostulare dignata est.

Conabor meam responsionem mittere usque ad diem 10. Martii huius anni. Fateor tamen me non nisi haesitanter hoc promittere. Temporis enim spatium mihi concessum spectatis meis condicionibus satis breve est. Viribus non satis firmis utor, cum ultimo dimidio anno ter in nosocomiis versari diutius coactus essem. Editor insuper cum sim lexici "Lexikon für Theologie und Kirche", multis occupor laboribus, qui differri nequeunt.

His et similibus ex causis aliis honor, qui mihi ab hac alma Pontificia Commissione de Sacra Liturgia confertur, opus satis arduum a me postulat. Pro viribus meis exiguis tamen satagam respondere votis Reverentiae Vestrae.

Interim laetor me profiteri
Paternitatis Tuae Reverendissimae
In Christo add.mum

Karl Rahner sj

7. Lettera di K. Rahner ad A. Bugnini (ASV, *Conc. Vat. II*, Busta 1361)

7.3.61

Reverendissime Pater,

Hisce sumbitto Paternitati Vestrae Reverendissimae expositionem, quam Paternitas Vestra Reverendissima a me expostulare dignata est. Spero fore ut hoc qualecumque opusculum aliquatenus satisfaciat scopo, propter quem laborem hunc suscepi.

Ea qua par est reverentia profiteor me
Paternitatis Vestrae Reverendissimae
servum in Christo

Karl Rahner sj

8. Lettera di A. Bugnini a K. Rahner (ASV, *Conc. Vat. II*, Busta 1361)

15 Martii 1961

711/SL/61

Reverendissime Pater,

Accepi, legi et perlegi relationem Tuam "De natura et valore precationis christifidelium in relatione ad Corpus Christi mysticum".
Legi cum magno "interesse". Est quaestio fundamentalis, et actuali climate oecumenico magni momenti.
Ideam quam dilucidari volebam, plene et centraliter exposuisti.
Gratias ex corde rependo dum Dominum Iesum rogo ut sit "praemium tui praeclari laboris".

Addictissimus in Dominus

(A. Bugnini, a secretis)

P.S. Occasione orta, rogo te
ut meas salutationes facias
Rev.mo Patri Jungmann.

RELAZIONI E CONTRIBUTI DEGLI ESPERTI

9. Contributo di G. Bevilacqua (ASV, *Conc. Vat. II*, Busta 1361)

DE FIDELIUM PARTICIPATIONE IN SACRA LITURGIA
I° SACERDOTII FIDELIUM THEOLOGICA FUNDAMENTA EXPONANTUR

I) Gesù Cristo – per l'unione ipostatica: pleroma della Divinità (1) e pleroma della Umanità (secondo Adamo) (2) è stato costituito Sommo sacerdote e Liturgo (3) unico Mediatore di grazia e di salvezza (4) tra il Dio unico e l'umanità unificata dal Salvatore (5).

II) Gesù Cristo – quale Capo del suo Corpo che è la Chiesa – (6) ha rese partecipi del suo Sacerdozio (in misura e su piani diversi) le membra del suo Corpo; per l'edificazione del Corpo di Cristo e perché tutti provengano all'unità della Fede, all'intera conoscenza del Figlio di Dio, alla piena misura di Cristo (7).

III)   Tale partecipazione al Suo Sacerdozio, Gesù volle realizzata sopra due piani distinti: a) mediante l'ordine Sacro istituì un Sacerdozio ministeriale, differenziato e gerarchico, delegato non dalla comunità ma dal Cristo stesso: per la consacrazione della Eucaristia (8) – l'amministrazione dei Sacramenti (9) per benedire, consacrare, reggere (10) – in una parola: per portare tutti i frutti del Mistero Pasquale al popolo di Dio del quale tutti i popoli sono chiamati a far parte.

b) mediante un Sacerdozio derivante dalla stessa consacrazione battesimale (11) e per il quale ogni cristiano partecipa al Sacrificio, può autoamministrarsi il Sacramento del Matrimonio – può conferire (in casi di straordinarie carenze) altri Sacramenti – partecipa in pieno al culto di lode e di rendimento di grazie, coadiuva il Sacerdozio ministeriale e gerarchico nell'apostolato.

NOTE

(1) Rom IX, 5
(2) ICor XV, 48-49
(3) Ebrei IV, 14; V, 5-9; VII, 26
(4) ITim II, 5
(5) Efesini I, 9-10. 11
(6) Colossesi I, 18
(7) Efesini IV, 12
(8) Lc XXII, 19; ICor XI, 24-26
(9) Gv XX, 23; Mc II, 7; Lc XXII, 32
(10) Mt XXVIII, 19-20
(11) IPetri II, 25

c) tutta la letteratura apostolica e subapostolica afferma la esistenza di tale Sacerdozio battesimale; fino al punto di riservare ai soli battezzati il termine di Sacerdoti, mentre con altri termini vengono designati coloro che con l'Ordine Sacro ricevettero il Sacerdozio ministeriale: Ministri – Episcopi – Presbiteri – Diaconi ecc. (1)

IV)   I fedeli devono quindi partecipare al Culto quali Sacerdoti nel loro Ordine e nel tutto Ecclesiale, avvicinandosi così al Sommo Sacerdote Cristo Pietra vivente, non come spettatori passivi, ma "quali pietre viventi edificati come edificio spirituale per un Sacerdozio santo allo scopo di offrire vittime spirituali bene accette a Dio per mezzo di Gesù Cristo" (2).

NOTE

(1) ICor III, 11
(2) IPetri II, 4-5. 9-10; Efesini II, 18-22; Ebrei XIII, 15; Apocalisse I, 6; XX, 6

II° QUA RATIONE EADEM PRINCIPIA IN PRAXI APPLICARI DEBEANT FIDELIUM PARTICIPATIONE

I)   La Sacra Liturgia (culto del Padre da parte del Cristo totale: Capo e Membra) realizza tale "admirabile commercium" con duplice movimento: verticale e orizzontale:

a) verticale: in direzione del Padre attraverso una duplice mediazione ascendente e discendente del Cristo Capo;

b) orizzontale: in direzione degli uomini i quali pure persistendo nella propria natura, variano nello spazio e nel tempo ed esigono quindi (anche nei rapporti con Dio) opera di continuo adattamento a tali diversità in modo che si realizzi l'esplicita esigenza dell'Apostolo: "pregherò sì con lo spirito, ma pregherò anche con l'intelligenza – canterò inni con lo spirito, ma canterò pure con l'intelligenza" (1).

II)   Primo mezzo perché il fedele possa partecipare al Culto con l'intelligenza è certamente la catechesi. La Sacra Liturgia suppone la catechesi: come gli uomini possono invocare l'unico nome di salvezza se non hanno creduto? Come potrebbero credere in Colui che non hanno udito? E come potranno udire senza chi predichi? La Liturgia assimila questo messaggio cristiano fino a farne la propria catechesi, così che non si può disgiungere la Liturgia dalla parola di Dio; nessun errore ha tanto nociuto al movimento liturgico come l'aver visto nella Liturgia il solo aspetto cultuale, minimizzando o annientando il suo aspetto profetico. La Liturgia rende la catechesi spirito e vita.

III)   Ma perché la catechesi liturgica assuma la sua intensità ed efficacia, urge che in alcuni suoi momenti e tratti nella Liturgia venga introdotto l'uso della lingua nazionale secondo moniti chiarissimi dell'Apostolo e secondo la prassi accertata della Chiesa primitiva:

a) "se non conosco il valore dei termini sarò straniero per colui che parla e colui che parla sarà straniero per me" (2) quindi senza comprensione diretta della Liturgia non vi è assemblea ma solo accostamenti di corpi; non unificazione di intelligenze nella lode, nel rendimento di grazie, nella supplica;

b) senza diretta comprensione della lingua non esiste edificazione dell'assemblea: "colui che parla in lingue sconosciute edifica se stesso – colui che profetizza edifica l'assemblea" (1)

c) senza immediata comprensione della lingua non è possibile unificazione di volontà necessaria alla Chiesa militante: "se la tromba non rende che sonorità confuse chi ci prepara al combattimento?" (2)

d) senza comprensione della lingua, l'offerta e la stessa preghiera dei fedeli rimane priva di senso, "come potrà rispondere amen al tuo rendimento di grazie colui che occupa il posto del fedele? non sa cosa dice. Il tuo è certamente un bel rendimento di grazie, ma il fedele non può trarre edificazione alcuna" (3).

L'Apostolo poi rafforza le sue affermazioni con l'esempio della sua condotta

e) nei primi secoli la Chiesa ha applicato i moniti dell'Apostolo rispettando in pieno l'economia Divina per la quale la grazia suppone la natura, ed ha così

tenuto presente la realtà etnica mutando la lingua liturgica secondo la comprensione del popolo

f) la situazione religiosa attuale (situazione di emergenza per un mondo che sta perdendo il senso delle cose Divine, che ad esse non rivolge che rapidi momenti del suo tempo, che non è preso se non da concretezze immediate) rende urgente l'impiego delle lingue nazionali nella Liturgia, pure restando il latino lingua della Chiesa per la salvaguardia di unità e di autenticità dottrinale. Credo difficile contestare l'evidenza sul terreno pastorale: il latino ha rappresentato e rappresenta per il popolo il grande ostacolo per l'accesso alla vita liturgica.

NOTE

    (1) ICor 14

    (2) ...

    (3) ....

IV) Le traduzioni, le didascalie, lo stesso lodevolissimo uso del messalino, rappresentano pur sempre una mancanza di immediatezza, una complicazione; rottura di sincronismo tra l'assemblea e l'Altare – pericolo che venga ad oscurarsi la funzione che al Celebrante spetta per il Sacramento dell'Ordine, funzione di Capo dell'assemblea liturgica. Il popolo non deve guardare al commentatore, ma all'Altare ove il Sacerdote dovrebbe parlare ed operare.

V)   Per la struttura gerarchica conferita dal Cristo al Suo Corpo Mistico diviene evidente che in cosa di tanta importanza solo alla Sede Apostolica spetta il compito di autorizzare le lingue nazionali nella Liturgia, precisarne i limiti, vegliare sulle singole traduzioni mediante l'Episcopato, salvaguardare l'unità liturgica, difendere la sola parola che non passa dalle fluttuazioni delle lingue vive e dai conseguenti pericoli di errori, squilibri dogmatici, relativismi già tanto gravi e minacciosi per la verità, alimentati dal pensiero contemporaneo.

III QUA RATIONE EADEM PRINCIPIA IN PRAXI APPLICARI DEBEANT AD FIDELIUM PARTICIPATIONEM IN MISSAE SACRIFICIO – IN SACRAMENTIS ET SACRAMENTALIBUS IN OFFICIO DIVINO

I) <u>Uso della lingua nazionale nella Messa</u>

a) L'uso della lingua nazionale dovrebbe essere permesso anzitutto in tutta la prima parte della Messa direttamente didattica nelle letture, Epistole, Vangeli; ma indirettamente didattica anche in tutti gli altri elementi che la compongono. <u>Gl'introiti</u>, costituiscono, generalmente, la chiave, il senso di ogni celebrazione, tanto nel <u>De tempore</u> come nel santorale – il Gloria in Excelsis, mirabile elevazione e creazione delle prime assemblee cristiane nata dal popolo, a tutto il popolo dovrebbe tornare: nella sua comprensione ed espressione; nessun trattato

teologico sullo Spirito Santo possiede il valore didattico del <u>Veni Sancte Spiritus</u>. Le Collette de tempore sono spesso sintesi teologiche meravigliose e perfette. Ma soprattutto il <u>Credo</u>: professione magnifica della fede primitiva – assunzione esplicita di un impegno da parte del cristiano di professarlo, difenderlo, viverlo, dovrebbe essere altamente proclamato nella lingua di ciascun popolo sottraendolo così al monopolio ingiustificato del Sacerdote come a quello delle <u>Cappelle musicali</u> che lo rendono artificioso, prolisso, inafferrabile.

b) Crediamo ancora all'utilità dell'uso della lingua nazionale, durante la Messa, nella preghiera ecclesiale: che dovrebbe essere rimessa al suo posto interessando concretamente i fedeli alle intenzioni del Sacrificio. Così pure il <u>Padre Nostro</u> il più sublime colloquio col Padre, la preparazione più diretta alla Comunione, sintesi più alta e più personale della preghiera, dovrebbe essere recitata nella lingua paterna perché, come si è osservato da alcuni, non si parla col Padre in lingua straniera.

c) Ormai la maggioranza dei Pastori riconosce la necessità di amministrare in lingua nazionale almeno alcuni sacramenti: il Battesimo, la Cresima, il Matrimonio, l'Estrema Unzione – e tutti i Sacramentali. L'uso della lingua del popolo nell'amministrazione dei Sacramenti e Sacramentali, si presenta con carattere di estrema necessità se si riflette che oggi Battesimi, Matrimoni, Funerali, rappresentano l'ultimo incontro delle masse scristianizzate con il Cristianesimo; urge quindi conferire a tali celebrazioni un massimo di espressività e di chiarezza. I cattolici che assistono talora alle celebrazioni funebri dei protestanti, restano fascinati dalla semplicità e comprensibilità del rito; soprattutto dalla lenta lettura di grandi pagine evangeliche che i cattolici non sentono mai perché escluse dalle pericopi evangeliche domenicali.

d) Il canto (che solo può conferire all'assemblea domenicale la nota di gioia derivante dal Mistero Pasquale) dovrebbe essere in lingua nazionale; tutti noi piccoli Pastori della Chiesa, facciamo questa esperienza: i canti latini eseguiti dal popolo sono pochi, stentati, forzati, imposti. Il canto in lingua nazionale afferra la comunità, la commuove, la unifica. Così, con il canto, a tutte le Messe festive si conferisce una solennità che fino ad ora è stata riservata ad una sola Messa che è la più disertata dal popolo.

e) Il Vespro stesso, che è quasi scomparso dalle nostre Chiese (dietro l'esempio sconcertante delle Basiliche e delle Cattedrali), troverebbe ancora il suo posto nella pietà domenicale se si limitasse il numero dei Salmi e se il popolo potesse cantare in lingua nazionale.

f) Per comunità di suore e di laici che non conoscono il latino, la recita del Divino Ufficio in lingua nazionale potrebbe elevare fortemente il tono spirituale ed intellettuale della Comunità nutrendola non più con moltiplicate e monotone pratiche di pietà personali o comunitarie, ma con le ricchezze

liturgiche, con una preghiera essenzialmente costruita come preghiera Cristo-centrica, biblica, patristica.

IV) L'ALTARE

L'uso della lingua nazionale non risolve però (da solo) il problema della partecipazione del popolo alla sacra Liturgia. Perché l'assemblea dei fedeli diventi autentica comunità di preghiera e di carità, comunità missionaria intenta a realizzare in tutti il Cristo, si presentano altre esigenze improrogabili.

Si esige anzitutto un centro d'interesse, di attenzione, di visione – centro del cuore ma anche degli occhi, secondo la economia liturgica che è l'economia della Incarnazione: per visibilia ad invisibilia. Il popolo non partecipa più al mistero cristiano, è divenuto spettatore distratto in attesa di evasione perché troppo lontano dall'Altare confinato nelle absidi, deformato nella sua fisionomia di tavola Sacrificale, ingombrato da architetture di un passato pure glorioso, dovrebbe essere senz'altro permesso l'uso di un altare mobile almeno per le Domeniche e feste, collocato nel cuore del Tempio – rivolto al popolo in modo che il colloquio tra i fedeli e l'Altare avvenga con naturalezza e razionalità. Nelle Nuove Chiese questa dovrebbe essere la prima preoccupazione ed esigenza del Clero e degli architetti.

V) DIRETTORII E LETTURE

L'efficacia della lettura di un testo è completamente affidata all'arte del lettore che può fare del testo una vera creazione. Meravigliose pagine bibliche lasciano insensibili i fedeli che la sera precedente si sono commossi alla lettura tenuta alla radio perché tale lettura era fatta da autentici maestri dell'arte. La lettura dovrebbe essere insegnata (anche e soprattutto da laici) nei Seminari. Se il Clero sapesse leggere con somma arte potrebbe usare molto di più della lettura, nutrita di parole Divine invece che di vuote elucubrazioni affidate alla memoria. Anzi tali letture di brani liturgici dovrebbero essere fatte all'Altare, non solo da coloro che hanno ricevuto gli Ordini Minori, ma anche dagli stessi laici per esercizio del loro Sacerdozio battesimale; questa ci sembra la vera figura del commentatore.

VI) ESIGENZA DI SEMPLIFICAZIONE E DI SPIEGAZIONE

L'uomo d'oggi è affamato di semplicità, di essenzialità, di evidenza; ora è innegabile che lo sviluppo storico della Sacra Liturgia non è sempre stato logico, organico, armonioso, soprattutto teocentrico. Per far comprendere certi riti oggi, è necessario far rivivere un passato che non interessa che gli archeologi e che non rappresenta nessuna importanza religiosa. Soprattutto ciò che è culto eccessivo della persona dovrebbe scomparire per lasciare solo il culto di Dio, senza toccare minimamente quel carattere gerarchico del presbitero che corrisponde alla costituzione

Divina della Chiesa stessa. Bisogna ritenere l'essenziale e sfrondare l'accessorio (le interminabili incensazioni, gli inchini reciproci, le ripetizioni, le lungaggini che non entrano nella logica e nella struttura essenziale del rito). Più si pota l'esuberante superlfuo, e più apparirà chiaro e attraente l'essenziale: la Cena del Signore – il Memoriale della morte del Signore – il Sacrificio offerto per la salute di molti.

Per la partecipazione dei fedeli sono utilissime le didascalie in lingua nazionale; le quali didascalie non dovrebbero essere abbandonate al capriccio, alla retorica, alle interpretazioni personali, ma venir fissate dalla Chiesa stessa per particolari punti della Litrugia. Naturalmente dovrebbe essere lasciato al giudizio dei singoli l'opportunità di tali ripetizioni e d'ammonizioni nelle Messe per non ingenerare noia, abitudini, senso di infantilismo che ferisce di più l'orgoglio dell'uso contemporaneo.

VII) IMPORTANZA DELL'OMELIA

La catechesi precede, ma accompagna, s'incarna nella Liturgia; cosicché la partecipazione del popolo ai Sacri Misteri dipenderà in massima parte dall'Omelia: dal suo contenuto scritturale e liturgico più che apologetico e polemico – dalla sua forma semplice, diritta, senza retorica – dalla sua brevità (parte della Messa non la deve soffocare con sproporzioni e prolissità dannose) – dalla sua presenza nei problemi d'oggi ma senza forzature. Proclamazione della parola di Dio deve essere non fredda esegesi ma istruzione e preghiera, luce su tutta la vita umana, fermentata da Cristo.

Oggi il lamento contro la predicazione è unanime – l'omelia diviene gradualmente l'incubo della Domenica. Questo è il problema più cruciale per la Chiesa d'oggi perché dalla sua soluzione dipende il ritorno o la diserzione definitiva degli uomini del nostro tempo.

Soluzioni? Anzitutto provengono dalla preparazione dei Sacerdoti negli studi liturgici e teologici. Non ritorno alle cattedre di sacra eloquenza, ma collaborazione di tutte le cattedre di teologia per munire il giovane clero di un ciclo completo di omelie soprattutto per i primi anni del Sacerdozio. Negli Ordini religiosi si dovrebbero stabilire scuole di omiletica curando che ogni anno venga approfondito ed aggiornato il materiale. Gli ordinari dovrebbero vegliare di più sulla predicazione, non abbandonandola senza controllo ai meno qualificati del Clero.

VIII) MONITI ED AVVISI AL POPOLO

Dall'antichità, dopo le Omelie, ci sono sempre stati gli avvisi al popolo. Difficilmente può essere esagerata l'importanza di tali avvisi che non dovrebbero ridursi a precisazioni d'orari e battute di cassa, ma dovrebbero aiutare i fedeli e formarli al senso concreto comunitario; gli avvisi rappresentano l'arte più difficile per far sostituire all'io il noi: della preghiera liturgica. Gli avvisi dovrebbero presentare tutti i bisogni, le situazioni, i problemi della Comunità liturgica elementare: la parrocchia.

IX) PARTECIPAZIONE DEI FEDELI E ASSOLUTO DISINTERESSE
DEL CLERO

Non può essere trattato il problema della partecipazione dei fedeli alla sacra Liturgia, senza entrare ed indagare in una delle maggiori cause di avversione al culto da parte del popolo che non si sente nel Tempio come nella casa del Padre a cagione delle speculazioni che hanno reso infetto il Tempio. La partecipazione dei fedeli, l'amore alla Sacra Liturgia, avverranno quando i fedeli convenuti nella casa paterna si convinceranno che questa è la sola Casa del mondo contemporaneo nella quale non esiste "accettazione di persone". In realtà oggi nelle nostre Chiese il classismo è andato accentuandosi fino allo scandalo degli umili che denunciano anche nelle Chiese l'evidente nota borghese del predominio del denaro. Non si tratta di negare il diritto di vivere dell'Altare, non si tratta neppure di abolire assolutamente ogni differenza (sebbene l'esperienza dei Pastori che le hanno abolite – come il sottoscritto attesta un immediato affluire di simpatie alla Parrocchia anche da parte dei più lontani) si tratta solamente:

a) di vegliare affinché un minimo di decoro e di solennità sia conferito all'amministrazione dei Sacramenti e Sacramentali ai poveri

b) di impedire soprattutto nei Matrimoni un fasto ed uno spreco insultanti e annientatore del significato severo e religioso della cerimonia stessa

c) di sottrarre la dignità e la purezza della Santa Liturgia all'ombra di devozionismi, di speculazioni e di classismi che costituiscono una vera pietra di intoppo per un popolo che sta oscillando tra un Cristianesimo vuoto e formalistico e l'aperto ateismo.

P. Giulio Bevilacqua
(firma manoscritta)

10. Contributo di A.-M. Roguet (ASV, *Conc. Vat. II*, Busta 1361)

Testo di A.-M. ROGUET

DE NATURA ET VALORE PRECATIONIS CHRISTIFIDELIUM

1. DE NATURA PRECATIONIS ECCLESIAE

Litterae Encyclicae Mediator Dei praebent definitionem Divini Officii quae potest in duas partes distingui. Prima pars sic se habet: "Est... Divinum Officium... Mystici Jesu Christi precatio, quae christianorum omnium nomine eorumque in beneficium adhibetur Deo..."

Haec prior pars definitionis est fundamentalis et eruitur ex natura fineque Corporis Mystici, seu Ecclesiae in quantum ipsa pergit in terris opus latreuticum sui Capitis nunc in coelo regnantis, et in quantum Ecclesia est societas laudis, quae una "cum omni militia caelestis exercitus hymnum gloriae" Patris canit sine fine dicens: Sanctus...

Secunda pars definitionis sic se habet: "precatio quae... adhibetur Deo cum a sacerdotibus aliisque Ecclesiae ministris et a religiosis sodalibus fiat, in hanc rem ipsius Ecclesiae instituto delegatis".

Dum prima pars definitionis videtur esse essentialis, theologica ac, perinde, immutabilis, altera pars videtur esse induere indolem historicam et juridicam. Etenim in primaeva Ecclesia, laus liturgica pertinebat ad totam communitatem Christifidelium, sine ullo privilegio vel speciali onere sacerdotum. Legimus in peregrinatione Etheriae quod Christifideles, et inter eos specialiter monazontes et parthenae (qui erant laici), adunabantur ad cantum laudum matutinalium et lucernarii; sacerdotes et diaconi interfuerant huic coetui tantum ad dicendum collectam, et episcopus, excepta Dominica die, adveniebat tandem circa finem officii, ad benedicendum et dimittendum populum.

2. DE STATU ACTUALI PRECATIONIS FIDELIUM

Ob incrementa et complicationem Divini Officii per decursum saeculorum divina laus pedetemptim commissa fuit exclusive sacerdotibus et monachis, populo christiano adstante tantum alicui parti solemniori divini officii, nempe Vesperis in diebus dominicis et festivis.

Insuper "actio liturgica" proprie dicta efficitur tantum cum utitur libris liturgicis approbatis.

Sic laudes divinae a laicis sive communiter sive privatum absolutae, etiam si utuntur psalmis et hymnis in Ecclesia receptis, et praecipue si in lingua vernacula cantantur, videntur tantum esse "pia exercitia" ab omni valore liturgica destituta.

Atqui talis positio repugnat tam naturae essentiali precationis Corporis mystici insuper allatae, quam naturae sacerdotii baptismali fidelium. Aliis verbis, non apparet quare laus divina egeret ministris "in hanc rem ipsius Ecclesiae institutio delegatis".

Magna differentia interest, in hac re, inter celebrationem sacramentalem et celebrationem laudis ecclesiasticae.

Celebratio sacramentalis, et praesertim eucharistica, requirit ministrum ab Ecclesiae ordinatum vel insuper delegatum. Sacrificium eucharisticum, secundum luculentam distinctionem ab Encyclicis Mediator Dei praebita, offertur a tota communitatem baptizatorum, sed consecratur et immolatur tantum a sacerdote munere personali et activo praedito. Sacerdotium fidelium – si sumitur ibi sacerdotium in sensu non mere spirituali sed proprie liturgico, – non est sacerdotium ministeriale seu operativum. Non exercetur per modum auctoritatis vel celebrationis proprie dictae, nec per modum potestatis personalis, sed communiter

et per modum voti et acclamationis, praecipue dicendo Amen, Deo gratias, Dignum et justum est, etc.

Atqui absolutio divini officii operatur per modum voti et acclamationis. Et est essentialiter actio collectiva, etiam a sacerdote solo completur.

Sacerdotium fidelium est praecipue ad gloriam Dei ordinatum, dum sacerdotium ministeriale dirigitur non solum ad cultum divinum sed etiam ad salutem hominum operandum per sacramenta.

Unde celebratio divini officii, de se, deberet incumbere toto populo christiano, sicut ac participatio activa, quae tam vehementer ei commendatur, sacrificio eucharistico in quantum est sacrificium laudis.

Reapse, participatio populi christiani precationi Ecclesiae strictim limitatur ad missam. Celebratio parochialis Vesperarum vel Completorii, quando non est totaliter derelicta (partim per multiplicationem missarum vespertinarum) non coadunat nisi paucissimos adstantes.

3. VOTA AD AMPLIANDUM OFFICIUM DIVINAE LAUDIS INTER NUMEROSIORES FIDELES

Videtur optandum quod officium divinae laudis possit a majori numero christifidelium absolvi, et non tantum ab aliquibus – nempe sacerdotibus et sodalibus religiosis.

Ad hunc finem attingendum sufficeret quod Ecclesia statueret ac declararet officium divinum Ecclesiae absolvi posse:

1°/ A sacerdotibus, monachis et monialibus secundum Officium canonicum stricte dictum;

2°/ Si etiam a religiosis votorum simplicium, vel sodalibus institutorum saecularium, dum recitant officium simpliciorem a constitutionibus praevisum et ab Ecclesia appobatum;

3°/ Et insuper a laicis, in Ecclesia parochiali vel in sodalitatibus quibuscumque adunatis, dum recitant vel cantant, etiam in lingua vernacula, laudes Dei, secundum ordinem ab Ecclesia appobatum.

Ut si dicta officia sub num, 2 et 3 designata approbationem obtinerent, necessarium esset

1°/ quod precationes dirigentur ad finem universalem et catholicum, qui competit precationi totius Ecclesiae.

2°/ quod maxima pars talis officii deprompta sit ex Scripturis sacris, praesertim ex psalmis, sive per modum lectionis, sive per modum cantus vel recitationis.

Hujusmodi votum consonare videtur desiderio multorum laicorum qui, secundum incrementum et progressum sic dictorum movimentorum biblici et liturgici, optant posse precare non tantum precibus privatis et devotionalibus sed etiam se uniendo laudibus officialibus et liturgicis totius Ecclesiae.

A. M. ROGUET O.P

11. Contributo di P. Jounel (ASV, *Conc. Vat. II*, Busta 1361)

P. JOUNEL

LA PARTICIPATION ACTIVE DES FIDELES A LA LITURGIE

Le présent rapport a pour but d'établir le fondement théologique et les exigences pratiques de la participation des fidèles à la liturgie.

Première Partie

Le fondement théologique de la participation active

Le schéma d'étude qui a été approuvé par la Commission de sacra liturgia en sa séance du 12 novembre 1960 est le suivant: Sacerdotii fidelium theologica fundamenta exponantur. Qua rationea eadem principia in praxi applicari debent ad fidelium participationem in Missae Sacrificio, in Sacramentis et Sacramentalibus, in Officio divino. La manière dont est posé le problème révèle une prose de position sur sa solution. Il ressort en effet de ce texte qu'il est communément admis que le sacerdoce des fidèles est le fondement théologique de leur participation active à la liturgie.

C'est là, nous semble-t-il, une grave erreur de méthode. En effet non seulement le théologie du sacerdoce royal demande encore beaucoup de réflexion pour être pleinement élucidée, mais la plupart de ceux qui l'ont étudiée, tant des points de vue exégétique et patristique que du point de vue théologique sont d'accord pour affirmer qu'elle ne se pose pas d'abord sur le plan liturgique, mais sur le plan de l'esse chrétien et de l'activité spirituelle du peuple fidèle. Si elle peut intéresser subsidiairement la Commission de sacra liturgia, elle intéresse en premier lieu la Commission théologique et celle de l'Apostolat des laïcs. C'est donc fausser le perspectives au départ de donner à la théologie du sacerdoce royal une connotation principalement liturgique.

Ajoutons une remarque de fait. On ne saurait faire progresser la théologie du sacerdoce royal que dans une confrontation entre exégètes, patrologues, historiens et théologiens. Or il se trouve que, si plusieurs membres ou consulteurs de Commission préparatoires au Concile font autorité sur ce point, aucun n'appartient à la sous-commission chargée d'élaborer une synthèse sur le "sacerdoce des fidèles": Mgr Cerfaux, les RR.PP. Congar et Lécuyer appartiennent à la Commission théologique, les RR.PP. Dom Botte et Dom Capelle en d'autres sous-commissions de la Commission de sacra liturgia. C'est là une seconde erreur de méthode.

Pour notre part, convaincus que la théologie du "sacerdoce des fidèles" ne saurait fournir une base théologique solide et indiscutable à la participation active des baptisés à la liturgie, nous nous contenterons de faire un état de la question avant de rechercher quel est le fondement de cette partcipation.

A – Le sacerdoce des fidèles et la participation active

La recherche sur les fondements de la participation active des fidèles à la liturgie a fait l'objet de deux sessions d'études qui, tenues à vingt-cinq ans de distance, ont abouti aux mêmes conclusions: la Semaine liturgique de Louvain de 1933 et la session de Vanves de 1959. Les travaux de la première, organisée par l'abbaye du Mont-César de Louvain, ont été publiés sus le titre: La participation active des fidèles au culte (Louvain 1934). Des travaux de la seconde, seul a été publié le rapport initial de Dom A. Robeyns: Les droits des baptisés dans l'assemblée liturgique (La Maison-Dieu n° 61, pp. 97-130). On trouvera en annexe ce rapport qui a l'avantage de résumer avec clarté les conclusions de Louvain et les plus marquants des 212 ouvrages ou articles publiés sur la question entre 1933 et 1936. Nous y avons joint un fragment sténographié de la discussion qui suivit.

Il semble qu'on puisse établir de la manière suivante la synthèese du débat.

1 – Du point de vue exégétique (L. Cerfaux)

Les textes bibliques sur lesquels s'appuie la théologie du sacerdoce royal (Exode 19, 6; Ia Petri 2, 9; Apocalypse I, 6; 5, 10; 20, 6) veulent mettre en valeur le caractère spirituel et eschatologique du culte chrétien. La formule ne doit donc pas exprimer directement, ni premièrement, la participation des fidèles au culte eucharistique ou à la liturgie tout court. Au contraire, lorsqu'il s'agira de leur baptême, et des obligations du "sercice" religieux auquel ils sont appelés, elle sera merveilleusement à sa place pour des développements parénétiques.

2 – Du point de vue historique

Pour l'antiquité chrétienne (B. Botte)

Il y a la tradition d'une certaine doctrine du sacerdoce des fidèles, plus développée semble-t-il en Occident qu'en Orient. C'est dans leur ensemble, en tant qu'incorporés au prêtre unique, que les chrétiens sont prêtres. La consécration baptismale ne confère pas au baptisé un pouvoir véritablement sacerdotal, plus spécialement sacrificiel. Historiquement la participacion des fidèles au culte ne repose pas sur une théologie de leur sacerdoce.

Pour le moyen âge (P. Charlier)

Vis-à-vis de la formule "sacerdoce des fidèles" la réaction des grands

maîtres de la théologie du 13e siècle est négative. Les scholastiques admettent la formule parce qu'elle est traditionelle, mais ils se refusent à reconnaître un vrai sacerdoce chez le fidèle. Cependant pour saint Thomas le caractère baptismal confère au baptisé une certaine participation au sacerdoce du Christ, participation qui est avant tout et principalement une puissance passive, mais à laquelle il reconnait cependant cependant un aspect actif: participes ecclesisticae unitatis.

Pour l'époque moderne (A Robeyns)

Le Concile de Trente, attentif à établir contre la Réforme l'existence d'un sacerdoce sacramentel, ne s'est pas intéressé au sacerdoce des fidèles.

L'Ecole française du 17e siècle a fortement mis en valeur l'idée que le fidèle offre avec le prêtre, lequel seul sacrifie.

L'Ecole romantique allemande a insisté sur la qualité e le pouvoir spécial qui reviennent au fidèle de par son appartenance à l'Eglise; sur l'idée du corps dont l'action est présente en chaque membre.

La théologie contemporaine a éclairé la théologie de la participation des fidèles au culte en précisant à la suite de saint Thomas la docrtine du caractère baptismal et des sacrements en général: le caractère nous habilite au culte de l'Eglise; il nous habilite à accomplir des actes visibles qui constituent l'hommage personnel du Christ à son Chef, tout en rehaussant la splendeur de l'hommage personnel du Christ à son Père. C'est en faisant du chrétien l'instrument du culte du Christ que le caractère le fait participer à son sacerdoce. Le baptême donne ainsi le pouvoir et confère la fonction d'agir en tant que membre du Christ dans l'ecercice de son sacerdoce.

3 – Du point de vue théologique

On retiendra sutout le point de vue de deux théologiens qui ont étudié le sacerdoce royal pour lui-même et non pour sa relation à la célébration liturgique.

a/ J. Lécuyer tant dans son Essai sur le sacerdoce des fidèles chez les Pères (LMD n° 27) que dans son livre sur Le sacerdoce dans le mystère du Christ (Paris 1956) en arrive à ces conclusions:

"Le sacerdoce des fidèles nous apparait dans les livres saints comme un prolongement du sacerdoce de Jésus. C'est celui-ci qui est seul le nouveau sacrifice, le nouveau temple, le nouvel autel; et pourtant, à certains égards, les chrétiens y participent; car par la foi ils peuvent pénétrer dès maintenant dans le sanctuaire céleste, adhérer de toute leur âme au salut opéré par le sacrifice de

Jésus, et unir librement leur vie toute entière à son offrande à lui… Par la foi et la charité, les chrétiens sont incorporés au Christ et ne forment plus qu'un seul Corps, un seul esprit, et le sacerdoce du Christ, comme son sacrifice, s'étend à tout le Corps, à chacun des membres de son Corps, sans cesser de demeurer le sien. A ce titre <u>toute le vie chrétienne est un acte sacerdotal, un sacrifice</u>. Cependant, sans dépasser les perspectives des livres saints, nous croyons qu'une lecture attentive des textes cités permet de déceler deux aspects complémentaires de cette activité sacerdotale des chrétiens. Il y a d'abord tout le domaine de la foi personelle, avec les attitudes qu'elle dicte à tous les chrétiens: culte "en esprit et en verité", pratique d'une vie morale conforme à l'Evangile, bienfaisance, etc…; bref, tout ce qui découle de notre condition de "fils adoptifs de Dieu", en marche vers notre héritage céleste… Mais il y a aussi le domaine de la mission spéciale que chacun de nous a à remplir au sein du Corps du Christ qui est l'Eglise: évangélisation sous ses différentes formes, témoignage en face des non-croyants, lutte contre le mal non seulement en chacun de nous mais dans le monde" (<u>Le Sacerdoce dans le mystère du Christ</u>, pp. 196-197).

"Plutôt que chaque membre individuel, c'est le Corps entier qui est sacerdotal, selon la parole de saint Pierre. C'est l'Eglise, et elle seule, qui continue sur terre l'oeuvre sacerdotale de Jésus: le véritable sacrifice ne s'accomplit ici-bas que par elle…Toutefois, puisque le baptême donne à chaque fidèle le pouvoir d'unir son offrande individuelle à celle de son Chef, il lui donne aussi le pouvoir de s'unir activement au Sacrament qui perpétue et prolonge l'unique sacrifice, et dont lui aussi, uni à son chef, est à la fois l'oblateur et l'hostie… Ce droit de participer aux sacrements, notamment à l'Eucharistie, est vraiment caractéristique du sacerdoce des baptisés. Pour participer activement à la vie liturgique de l'Eglise, corps social et visible, la sainteté intérieure ne suffit pas: il faut avoir été <u>agrégé par un rite sensible au peuple sacerdotal nouveau</u>, l'Israël de Dieu, le Corps du Christ qui est l'Eglise" (ibid. pp. 254-259).

Dans le débat qui, à Vanves, suivit l'exposé de Dom Robeyns, le P. Lécuyer déclara: "Pour la question que nous traitons ici (le fondement théologique de la participation active des fidèles à la liturgie) je crois qu'il ne faut pas partir de la notion du "sacerdoce des fidèles", qui est très complexe. Il existe dans la tradition des textes qui rattachent à ce qu'on appelle le "sacerdoce des fidèles" le droit des baptisés le participer à l'offrande eucharistique; mais <u>ces textes sont très rares</u>".

b/ <u>Y.-M. Congar</u> dans <u>Structures du sacerdoce chrétien</u> (LMD n° 27) et dans <u>Jalons pour une théologie du laïcat</u> (Paris 1955) expose la théologie du sacerdoce royal de la manière suivante:

<u>Nature du sacerdoce des fidèles</u>: Le sacerdoce des fidèles est spirituel (Jalons, p. 177). Selon l'Ecriture et selon la Tradition il n'est pas à définir par une compétence sacramentelle et liturgique. Mais les Pères et la liturgie ont

dévoloppé l'aspect de son rattachement à une consécration baptismale (ibid. p. 181-196). Le sacerdoce n'est pas à définir par la notion de médiateur mais par celle de sacrifice (pp. 196-204). Le sacerdoce de l'Eglise s'articule à celui du Christ (pp. 204-246).

Les activités du sacerdoce des fidèles: Elles se situent d'abord sur le plan spirituel par toute sa vie morale comme cie consacrée (pp. 246-269). Elles sont ensuite d'ordre liturgique: le fidèle participe au sacrifice de l'Eglise en tant qu'elle offre le Christ et qu'elle offre son propre corps. Il participe au sacrifice de l'Eglise offrant le Christ en faisant voto ce que le prêtre fait mysterio; il participe au sacrifice de l'Eglise offrant son propre corps en offrant les oblats et en s'offrant lui-même (pp. 246-296). De plus ce sacerdoce des fidèles, qui est de l'ordre de la vie et non institutionnel, ouvre des possibilités pour les laïcs dans l'ordre des autre sacrements à donner: baptême, mariage, confession aux laïcs, distibution de la communion (pp. 300-308). Cependant "il faut délibérément quitter la hantise, pour ou contre, d'un rapport de ce sacerdoce à l'offrande liturgique de l'Eucharistie. La donné biblique et traditionnel, qui est ici fort explicite, ne favorise nullement une telle orientation" (LMD 27, p. 81). C'est ainsi que le P. Congar rejoint au terme d'une réflexion très poussée l'interprétation exégétique de Mgr Cerfaux et l'étude patristique de Dom Botte.

Peut-être pourrait-on résumer tout ce qui précède dans les propositions que voici:

1 – L'Eglise, Corps du Christ, participe au sacerdoce royal de son Chef.

2 – Peuple sacerdotal de la nouvelle Alliance, l'Eglise offre le sacrifice du Christ, qui est le sacrifice de tout le Corps, Chef et membres.

3 – Mais si le sacrifice du Christ total trouve son expression la plus haute dans la Messe, qui renouvelle et actualise le sacrifice de la Croix, c'est toute l'activité de l'Eglise entrainant le monde vers Dieu qui est sacrificelle, selon l'enseignement de saint Augustin. Le renouvellement rituel du sacrifice du Christ a pour but de glorifier Dieu en intensifiant toujours davantage le sacrifice spirituel de l'Eglise.

4 – Incorporé à l'Eglise par le baptême, que parfait la confirmation, le chrétien fait partie du Peuple sacerdotal. En l'incorporant au Peuple sacerdotal, le caractère baptismal lui donne part au sacerdoce royal du Christ et l'habilite à offrir le sacrifice de la Nouvelle Alliance.

5 – Le baptisé ne participe pas d'une manière univoque aux trois aspects du sacrifice de la Nouvelle Alliance: renouvellement rituel du sacrifice de la Croix, oblation rituelle du sacrifice de l'Eglise, offrande permanente du sacrifice spirituel. C'est d'abord au sacrifice spirituel de l'Eglise que le députe son

caractère baptismal, car, si l'Eglise doit s'offrir à Dieu comme une hostie vivante, où le ferait-elle sinon en ses membres vivants? Le sacrifice spirituel des chrétiens est un élément essentiel du sacrifice de l'Eglise. En ce qui concerne le renouvellement rituel du sacrifice de la Croix, le baptisé n'y a part que dans le mesure où toute l'Eglise, corps du Christ, est présente avec son Chef dans la personne du prêtre hiérarchique et où il s'associe <u>voto</u> à l'action sacrificielle de ce prêtre. Mai le sacrifice rituel du Christ est aussi celui de tout son Corps, et, en tant qu'il est sacrifice de l'Eglise, il exige <u>la participation active de tous les baptisés présents à l'assemblée eucharistique</u>: offrande des oblats, part prise à la <u>prex eucharistica</u>, ratification consciente de l'action sacerdotale, communion au Corps et au Sang du Seigneur.

Si l'on accepte ces cinq propositions, on remarquera trois choses: la première, c'est la notion du sacerdoce et les activités sacerdotales ne peuvent s'appliquer au baptisé qu'en référence à l'Eglise; la seconde, c'est que l'aspect liturgique n'est pas premier dans la notion et dans les activités du sacerdoce des fidèles; la troisième, c'est que l'activité liturgique essentielle du sacerdoce du Christ dans l'Eglise doit être refusée aux fidèles, car elle requiert la réception du sacrement de l'Ordre.

Telles sont les raisons qui nous font écarter la notion de sacerdoce des fidèles comme fondement premier de leur participation active à la liturgie.

B – La participation active des fidèles à la liturgie et le mystère de l'Eglise

Au terme de son enquête sur la place que pouvait tenir la notion du sacerdoce royal dans la vie liturgique de l'Eglise primitive, Dom Botte écrit: "Si les chrétiens des premiers siècles ont pris une part plus active aux actes de culte, ce n'est pas qu'ils aient eu conscience d'une dignité proprement sacerdotale dont l'idée se serait atténuée au cours des siècles. C'est bien plutôt que <u>leur conception du christianisme était essentiellement sociale</u>. Ils participaient plus activement à la messe, parce qu'ils savaient qu'elle était <u>leur</u> sacrifice. Et ils comprenaient que la messe était <u>leur</u> sacrifice non parce qu'ils se croyaient prêtres, mais parce qu'ils avaient un sentiment plus vif que la messe était le sacrifice de l'Eglise, et qu'eux étaient <u>les membres vivants de cette Eglise</u>" (<u>La participation active des fidèles au culte</u>, p. 28). Le fait même qu'il est membre conscient du Corps mystique du Christ, tel est le fondement ultime du droit qu'a tout chrétien et du devoir qui lui est fait de participer activement à la liturgie. C'est aussi le fondement le plus clair, le moins sujet à interprétation erronées, le plus facile à faire saisir au peuple chrétien.

1 – La liturgie du Corps mystique du Christ

Il est remarquable que dans l'encyclique <u>Mediator Dei</u> le pape Pie XII aie précisément défini la liturgie comme le culte public intégral du Corps mystique

du Christ: <u>Sacra liturgia integrum constituit publicum mystici Iesu Christi Corporis, Capitis nempe membrorumque eius</u> (AAS 1947, pp. 528-529). Ce culte public, dont le centre est le sacrifice eucharistique, est orienté à la fois vers la sanctificantion de l'homme et vers la glorification de Dieu: <u>Quocumque Pastores possunt christifidelium coetum cogere, ibirigunt aram, in qua sacris operantur, qt quam circum cetere ordinantur ritus, quibus HOMINES POSSINT SANCTITATE IMBUI, DEBITAMQUE DEO TRIBUERE GLORIAM.</u> Le pape peut donc affirmer en termes formels que c'est pour les fidèles "un devoir principal et un honneur suprême" que de participer au sacrifice eucharistique <u>tam impense tamque actuose ut cum Summo Sacerdote arctissime coniungentur</u> (ibid. p. 552), avant de développer longuement à quels et de quelle manière doit se faire cette participation. Dans son exposé il n'a qu'un paragraphe pour dire: <u>Baptismatis enim lavacro, generali titulo christiani in Mystico Corpore membra efficiuntur Christi sacerdotis et "charactere" qui eorum in animo quasi insculpitur, ad cultum divinum deputantur; atque ideo ipsius Christi sacerdotium pro sua conditione participant</u> (ibid. p. 555). C'est donc à l'incorporation baptismale à l'Eglise que Pie XII rattache incidemment le <u>sacerdoce des fidèles</u>, dont il évite d'ailleurs de prononcer la formule, tandis qu'il relève par contre vivement l'erreur de ceux qui prétendent <u>populum vera perfrui sacerdotali potestate</u> (ibid. p. 553).

L'enseignement de <u>Mediator Dei</u> ne saurait être plus fromel: la liturgie est l'acte sacerdotal du Christ total sanctifiant le monde et glorifiant le Père; elle est l'action conjointe du Christ, du prêtre et de tous les baptisés réunis autour de lui: <u>Nos servi tui, sed et plebs tua sancta, offerimus tibi hostiam sanctam</u>, dit le prêtre à Dieu après la consécration (Ibid. p. 554).

2 – <u>L'assemblée liturgique signe du mystère de l'Eglise</u>

Il est impossible de définir la liturgie comme l'acte sacerdotal de l'Eglise sans évoquer l'assemblée liturgique. Expression de l'oblation Corps mystique, le <u>Nos servi tui et plebs tua sancta</u> est en même temps l'expression la plus haute de l'assemblée eucharistique. C'est ainsi que Pie XII passe immédiatament de l'une à l'autre. Ayant donné la définition que nous avons rappelée, il continue: <u>Liturgica autem actio tum initium sumpsit, cum Ecclesia divinitus condita fuit. Priscae siquidem aetatis christiani "erant perseverantes in doctrina Apostolorum et communione fractionis panis et orationibus" (Act 2, 42). Quocumque Pastores possunt christifidelium coetum cogere, ibi erigunt aram</u> (ibid. p. 529). Suit la description de l'assemblée chrétienne réunie pour écouter la parole de Dieu, prier en commun et célébrer l'Eucharistie ou l'un des sacrements, <u>hoc est septem praecipui salutis fontes</u> (ibid.).

Quelle est la nature du lien qui rattache ainsi l'assemblée liturgique au mystère de l'Eglise? – C'est que, comme l'a montré Dom Botte, "le mot <u>Ecclesia</u> a, dans le Nouveau Testament trois sens chrétiens. Il désigne l'assemblée chrétienne,

la communauté chrétienne en un lieu donné et l'Eglise universelle. L'Eglise du Christ est une, parce qu'elle est le corps du Christ; mais elle n'est pas le groupement amorphe de tous les croyants. Les apôtres n'ont pas seulement converti des individus, ils ont fondé des Eglises, c'est-à-dire des communautés douées de tous les organes d'une vie propre. Mais l'Eglise locale risquerait de n'être qu'un entité juridique, si elle n'avait le lien vivant de l'assemblée de ses membres. La fréquence et certaines modalités de cette assemblée relèvent du droit positif; mais elle est, en principe, de droit divin: l'eucharistie a été instituée par le Christ pour être ce lien vivant de la communauté chrétienne" (Les rapports du baptisé avec la communauté chrétienne, QLP 1953, p. 115).

L'assemblée liturgique est à la fois la manifestation visible, le signe sensible du Corps mystique du Christ, et le moyen privilégié par laquel se contruit chaque jour davantage le Corps du Christ: Mysterium nostrum in mensa dominica positum est, selon l'expression célèbre de S. Augustin, que rapporte Pie XII (ibid. p. 559). L'Eglise fait l'Eucharistie et l'Eucharistie bâtit l'Eglise. Or cette double activité essentielle, dans laquelle se fondent la glorification de Dieu et la sanctification de l'homme, c'est dans l'assemblée liturgique qu'elle se déroule. Telle est la raison pour laquelle le chrétien qui veut glorifier le Seigneur et s'unir intimement au mystère rédempteur doit considérer comme son summum officium et sa summa dignitas le fait d'apporter une participation "active et intelligente" (AAS 1956, p. 716) à l'assemblée liturgique.

Ainsi que le définit excellemment l'Instruction De Musica Sacra (n° 93), autre est la part que prend à l'action liturgique dans l'assemblée le Prêtre célébrant, qui toti actioni liturgicae praeest, autre celle des clercs qui, vi ordinationis aut assumptionis in statu clericalem, servitium ministeriale proprium et directum exercent, autre celle des laïcs: que ceux-ci se contentent de remplir leur fonction de membres du peuple de Dieu vi characteris baptismalis ou que, ayant reçu délégation de l'autorité ecclésiastique compétente, ils exercent dans les fonctions de lecteur, l'acolyte, de commentateur, de portier, de membre de la schola cantorum un servitium ministeriale directum quidem sed delegatum.

La participation active du chrétien sera fonction aussi de la nature de l'assembleée: autres seront les exigences de sa participation à l'assemblée eucharistique, autre celle de sa participation à une procession de supplication ou à un office vespéral de la louange divine. Il y a cependant des constantes dans les structures de l'assemblée liturgique et ces constantes fournissent les lois fondamentales de la paticipation de ses membres.

Toute l'assemblée doit aboutir à un mystère de communion dans lequel les fidèles cum Summo Sacerdote arctissime coniungentur (Mediator Dei p. 552; Instructio n° 22): communion au Seigneur dans l'accueil à sa Parole, dans la prière et, s'il s'agit de la Messe, dans la manducation de son Corps eucharistique.

Du fait qu'elle est hiérarchique, toute assemblée comporte une liaison sensible entre son président et ses membres. Cette liaison est assurée essentiellement par le dialogue, par l'obéissance des membres à l'invitation du président, par un ensemble d'attitudes communes: Adstantium vero participatio plenior evadit, si internae attentioni externa accedat participatio, actibus scilicet externis manifestata, uti corporis positione (genuflectendo, stando, sedendo), gestibus ritualibus, maxime vero responsionibus, precationibus et cantu (Instructio, n° 22).

Essayons de résumer en quelques propositions le fondement théologique de la participation active des fidèles à la liturgie:

1/ Par son baptême le chrétien est incorporé à l'Eglise, il devient membre du Corps Mystique du Christ. En sa qualité de membre vivant du Corps du Christ et à sa place de membre, il participe à toute l'activité de l'Eglise et donc à son activité sacerdotale de glorification de Dieu et de sanctification des hommes.

2/ La double fonction sacerdotale de l'Eglise, prolongement et expression visible de celle du Christ, prend une forme rituelle dans la célébration liturgique. Cette célébration, qui culmine dans le sacrifice de la messe, est ainsi tout à la fois le signe sensible et l'instrument privilégié de l'exercice du sacerdoce de l'Eglise. Or c'est dans l'assemblée de la communauté des fidèles, ou en prolongement de cette assemblée, que l'Eglise célèbre la liturgie, qu'elle exerce son sacerdoce rituel.

3/ On peut donc dire que le chrétien est habilité en vertu de son caractère baptismal à participer activement à la célébration liturgique, à l'assemblée du Peuple sacerdotal de la nouvelle Alliance.

4/ Membre actif de l'assemblée et de la nature propre de chaque célébration à laquelle il prend part les normes concrètes de sa participation.

Deuxième Partie

Les exigences pratiques de la participation active

Dans l'exposé des règles pratiques de la participation active des fidèles à la liturgie, nous en préciserons d'abord les exigences fondamentales, puis nous étudierons la participation du peuple chrétien au déroulement de l'année liturgique.

I – Les exigences fondamentales

Quand on a défini l'assemblée liturgique comme l'épiphanie du mystère de l'Eglise parmi les hommes, comme le lieu privilegié dans lequel l'Eglise exerce son ministère sacerdotal de glorification de Dieu et de sanctification des hommes, il semble que l'exigence fondamentale concerne la réalisation d'une

assemblée concrète qui exprime visiblement le mystère dont elle est le signe. En d'autre termes, avant de parler des conditions de la participation active des fidèles dans l'assemblée, il faut affirmer la nécessité d'une assemblée dans laquelle les hommes puissent reconnaître le visage de l'Eglise une, sainte, catholique, apostolique. Avant d'exiger l'intelligibilité des signes dans la célébration, il importe de dire que cette exigence concerne d'abord le signe global qu'est l'assemblée en elle-même. Ce principe fondamental a été formulé avec un rare bonheur d'expression par saint Augustin dans son traité De Doctrina christiana: Sub signo enim servit qui operatur aut veneratur aliquam rem significantem, nesciens quid significet: qui vero aut operatur, aut veneratur utile signum divinitus institutum, cujus vim significationemque intelligit, non hoc veneratur quod videtur et transit, sed illud potius quo talia cuncta referenda sunt. Talis homo spiritualis et liber est. Or, en analysant les structures de la liturgie chrétienne, telle qu'elle était célébrée de son temps, saint Augustin y découvrait précisément ce caractère d'intellibilité qu'exige un véritable culte en esprit et en verité. Comparant la liturgie de la nouvelle Alliance et celle de l'ancienne, il déclare: Hoc vero tempore posteaqum resurrectione Domini nostri manifestissimum indicium nostrae libertatis illuxit, nec eorum quidem signorum, quae jam intellegimus, operatione gravi onerati sumus: sed quaedam PAUCA pro multis, eademque FACTU FACILLIMA, et INTELLECTU AUGUSTISSIMA, et OBSERVATIONE CASTISSIMA ipse Dominus et apostolica tradidit disciplina: sicuti est Baptismi sacramentum, et celebratio corporis et sanguinis Domini (De Doctrina christiana III, IX, 13).

Pour que la célébration liturgique constitue au milieu des hommes le signe intelligible du mystère de l'Eglise, il importe que chacun de ses acteurs y remplisse sa fonction avec le maximum de foi et religion, que sa participation extérieure ne soit que l'expression sensible de sa participation intérieure. C'est la participation intérieure qui est première.

1 – Les exigences de la participation active intérieure

Cette participation, qui a pour principe la foi doit êre intelligente selon le mot qu'emploie le papa Pie XII dans son discours de clôture du Congrès liturgique d'Assise (AAS 1956, p. 716). Or on ne saurait participer intelligemment à une action sans la comprendre.

Pour que les fidèles comprennent les textes qui leur sont lus ou les rites auxquels ils prennent part, il faut à la fois que textes et rites soient intelligibles en eux-mêmes et qu'ils soient l'objet d'une catéchèse. Telles sont les deux exigences d'une participation active dans la foi.

a – L'intelligibilité des textes et des rites

L'intelligibilité des textes est fonction de la langue dans laquelle ils sont lus et du choix qui en a été fait.

Il est certain que <u>le problème de la langue liturgique</u> est celui que pose en priorité la participation des fidèles. On peut évoquer à ce sujet combien une sainte Thérèse de l'Enfant Jésus souffrait de ne pas savoir le latin pour comprendre ce qu'elle disait en psalmodiant l'office. Sa souffrance est celle de nombreux fidèles dans leur participation à la messe. On ne saurait dire que la difficulté est résolue par l'usage qui se généralise des missels traduits, tandis qu'on constate par contre combien a été bénéfique pour la célébration des baptêmes la concession de Rituels bi-lingues par Pie XII. Poser le problème de la langue ne signifie pas qu'il doit être résolu par l'usage intégral de la langue vernaculaire. D'autres arguments que celui de l'intelligibilité entrant en jeu quand on aborde cette question. Du moins peut-on souhaiter que les lectures qui ont pour but l'instruction des fidèles, que certains chants qui demandent la participation du peuple, que la récitation collective du symbole de foi et de l'oraison dominicale à la <u>missa lecta</u> puissent être faits dans la langue qui est celle des membres de l'assemblée.

Quant au <u>choix des textes</u> il est capital, si l'on veut que les fidèles célèbrent les mystères dans la foi. De ce point de vue nous formulons trois voeux: que les lectures du Missel romain soient <u>soigneusement revues</u>, pour que l'on supprime celles qui sont aussi inintelligibles en langue vivante qu'en latin, pour que l'on modifie les coupures, quand celles-ci on été faites de manière peu rationnelle; que l'on augmente <u>le nombre des lectures</u> pour les messes des semaines d'Avent, du Temps pascal et <u>per annum</u> (lectures propres pour le mercredi et le vendredi, qui permettraient l'établissement d'un cycle de trois ans); que l'Ordo de la célébration <u>de chaque sacrement comporte au moins une lecture</u>: on pourrait célébrer le Baptême des adultes, la Confirmation et le Mariage <u>inter Missarum solemnia</u> après la liturgie de la Parole et introduire une lecture évangélique dans la célébration du baptême des enfants, de la pénitence et de l'onction des malades.

— <u>L'intelligibilité des rites</u> demande une réflexion attentive sur deux points:

<u>Importance de la qualité du signe</u> dans le rite. Les paroles de la forme du rite devraient être dites à voix haute, étant donné que ce sont avant tout les paroles qui sont signifiantes (Pensons à la qualité du silence religieux dans lequel est écouté le chant des paroles de la consécration du rite byzantin). Il importe aussi à la qualité du signe <u>que le rite ne soit pas atrophié</u>. Là se présentent les deux cas majeurs du baptême par immersion et de la communion sous les deux espèces. Sans vouloir dissimuler les difficultés concrètes que poserait le retour à la discipline ancienne d'Occident, qui est demeurée celle de l'Orient, il faut bien reconnaître que le Seigneur, en instituant l'Eucharistie a dit: <u>Accipite et manducate</u>, <u>Accipite et bibite</u>, <u>ex eo</u> OMNES et que saint Paul a montré dans l'immersion baptismale le signe de notre ensevelissement avec le Christ et de notre résurrection avec lui (<u>Rm</u>. 6). Ce retour à la plénitude du rite pourrait au moins être concédé, en ce qui concerne la communion au calice, pour certaines circostances précises (Messe de la première communion, de la

confirmation, du mariage, de la profession religieuse) ou simplement autorisé <u>ad libitum</u> en ce qui concerne le baptême. Dans ce derniere cas il n'y aurait aucune rubrique nouvelle à insérer au Rituel, puisque celui-ci continue toujours à décrire le rite de l'immersion baptismale (<u>Rituale romanum</u> Tit. II, cap. II n° 20 pour l'enfant, cap. IV n° 45 pour les adultes).

<u>Signification des rites</u> pour en élaguer tous les symbolismes secondaires: <u>Pauca pro multis, factu facillima et intellectu augustissima</u>, selon la règle d'or de saint Augustin. Nous pensons particulièrement à la simplification des vêtements sacrés du prêtre (aube, cordon, chasuble devraient suffire), à la suppression des multiples baisers de l'autel (un à l'arrivée et un autre au départ), des multiples génuflexions, des multiples signes de croix (tant ceux que prêtre et fidèles font sur eux-même que ceux que fait le célébrant sur l'hostie et le calice). Il conviendrait aussi de supprimer tel rite secondaire qui accapare l'attention des fidèles au détriment du rite essentiel (telle l'imposition du sel au baptême).

En supprimant les symbolismes secondaires, on mettra mieux en valeur l'unité interne de l'action liturgique qui s'accomplit. Or il est indispensable que les fidèles saisissent sans difficulté la progression et l'enchainement des rites.

b – <u>La catéchèse des rites</u>

Si indispensables que soient les innovations que nous avons suggérées du point de vue de la langue liturgique, de la révision des textes, de la restauration et de la simplification des rites, la catéchèse demeurera toujours indispensable. Mieux encore, c'est à partir du moment où les rites deviennent intelligibles que leur catéchèse obtient une véritable résonnance dans l'âme des fidèles, comme on peut le constater là où l'on célèbre le baptême en langue vivante. Nous n'insisterons pas sur les modalités de cette catéchèse sinon pour souligner les deux plans où elle se situe: catéchèse sacerdotale dans l'homélie après l'évangile (<u>Instructio</u> n° 22), explications et monitions du commentateur (ibid. n° 96). Il conviendrait de préciser d'une manière explicite que là où le prêtre n'a pas pu former de commentateur, il peut faire lui-même ces monitions.

2/ <u>La participation active extérieure</u>

La participation active extérieure se réalise à la fois par la vue et l'audition, par la parole et par le chant, par les attitudes communes et les démarches collectives, par le silence en commun.

a – <u>L'attention à ce qui se passe à l'autel</u> exige que le célébrant, l'autel et le sanctuaire soient visible: "L'autel doit être dégagé, bien visible, bien éclairé; les fidèles doivent être groupés de façon à bien le voir; le gestes du prêtre doivent être posés, expressifs, ses paroles distinctes et, quand il le faut, prononcées assez haut; les lectures doivent être intelligibles, grâce notamment à une sonorisation

bien réglée par rapport au volume de l'église; les monitions doivent souligner les aspects essentiels de l'action et ramener l'attention de tous" (Directoire français pour la pastorale de la messe n° 124).

b – Le dialogue et le chant

Le dialogue: Les réponses des fidèles dialoguant avec le célébrant, ratifiant de leurs Amen la prière ou l'action sacerdotale, acclamant la parole de Dieu, constituent un élément essentiel de la participation liturgique. Les fidèles doivent y être formés avec soin et persévérance. Comme le dialogue ne se noue normalement qu'entre des personnes qui se font vis-à-vis, on encouragera la restauration de l'antique usage romain de la messe célébrée face au peuple. La législation récente concernant l'aménagement d'un tabernacle sur l'autel majeur en vue de la Réserve eucharistique devra être assouplie de manière à ne pas rendre impossible la messe face au peuple.

Le chant: "Il est traditionnel que la foule exécute des chants: psaumes, hymnes et cantiques spirituels (Eph. 5, 19). Il est inadmissible que, pour des motifs esthétiques, on lui impose délibérément silence au profit exclusif d'une schola" (Directoire français n° 138). L'Instruction de Musica sacra a prescrit que les réponses du peuple au célébrant ou à ses ministres soient exclusivement chantées selon les mélodies grégoriennes (n° 16) et elle demande qu'on enseigne à tous les fidèles ubicumque terrarum les mélodies le plus simples du Kyriale (N° 25). Nous souhaiterions qu'on mette spécialement en valeur le chant du Sanctus par le peuple uni au célébrant, puisque celui-ci, dans la préface, annonce explicitement ce chant unanime de la plebs adunata sacerdoti (saint Cyprien): Cum quibus et nostras voces... supplici confessione dicentes. Le chant du Sanctus devrait donc être assimilé aux réponses, c'est-à-dire chanté toujours selon des mélodies grégoriennes simples par toute l'assemblée, prêtre, ministres et peuple, le célébrant ne commençant qu'ensuite le Te igitur.

c – Le silence: Le Directoire français souligne l'importance dans la célébration liturgique du "silence communautaire, nourri et préparé par le chant et la catéchèse. Le silence est le sommet de la prière; c'est à sa qualité qu'on mesure le réussite de l'effort pastoral" (n° 141). Le silence sera favorisé par le calme dans lequel se déroulera l'action liturgique: non multa sed multum.

d – Les attitudes et les démarches communes

Les attitudes communes sont indispensables à l'unité de la communauté. Néanmoins la règlementation des attitudes se justifie encore par deux autres motifs: Ces attitudes manifestent que l'assemblée toute entière est attentive à ce qui se passe à l'autel: ces attitudes ont une valeur objective. Elle signifient suivant les cas l'attention respectueuse, l'humble adoration, la disponibilité active... En outre, ces attitudes ont une valeur éducative: l'attitude du corps infue sur celle de l'âme... Il y a une prière du corps associée à celle de l'âme (Directoire français n° 125-127).

Les démarches communes sont également à la fois manifestation et création de la communauté. Il importe donc de restaurer en certaines circostances la procession de l'offrande et de faire accéder les fidèles à la table sainte pour communier en une véritable procession.

3/ Le service ministériel direct, mais délégué

L'Instruction de Musica sacra a défini que les simples fidèles qui remplissaient dans l'assemblée une fonction revenant normalement à des clercs, telles les fonctions de lecteur, d'acolyte, de commentateur, de portier exerçaient un servitium ministeriale directum sed delegatum, à la seule condition qu'ils aient été députés à ces fonctions par l'autorité ecclésiatique compétente (n° 93).

Il serait utile d'étudier l'opportunité et éventuellement le mode d'extension de cette délégation à un service ministériel soit dans l'assemblée liturgique, soit hors de l'assemblée. Il y aurait sans doute là un moyen adapté à la mentalité moderne que celui qui consisterait à conférer les ordres mineurs à des laïcs.

II – La participation active des fidèles à l'année liturgique

Les principes et les voeux, qui ont été présentés ci-dessus, concenent la participation active des fidèles à l'ensemble de la liturgie: messe, sacrements et sacramentaux, office divin, année liturgique. La participation au déroulement de l'année liturgique pose certains problèmes particuliers qu'il convient de relever.

1 – L'organisation du cycle liturgique

C'est dans le déroulement de l'année liturgique que les fidèles découvrent tout naturellement l'économie du salut, dont ils revivent les étapes in mysterio. L'organisation du cycle liturgique doit donc mettre ces étapes en pleine lumière.

a – Principes généraux

La priorité du Temporal a été progressivement restaurée, de 1911 à 1960, par l'autorité des papes saint Pie X, Pie XII et Jean XXIII. Elle devrait être encore marquée plus nettement en ce qui concerne le Temps pascal. Il serait souhaitable aussi que les mercredis et vendredis de toute l'année soient mis en valeur et dotés de formulaires spéciaux, du moins pour les lectures. Les fidèles seraient invités à sanctifier spécialement ces deux jours de la semaine par l'assistance à la messe matinale ou vespérale.

Les fêtes du Seigneur qui célèbrent une étape de l'économie du salut (Noël, Epiphanie, Baptême, Ascension, Pentecôte) requièrent une participation plus attentive de la part des fidèles. Les plus importantes sont marquée au CIC comme fêtes d'obligation (c. 1247), mais en de nombreux pays ni l'Epiphanie,

ni l'Ascension ne sont plus des fêtes d'obligation. Les conditions actuelles de leur solennisation au dimanche antécédent ou subséquent ne permettent pas de leur donner l'éclat qu'elles exigent. Il se trouve même que l'application des règles du nouveau CR [codex rubricarum] empêche la solennisation de l'Epiphanie (n° 317). Il y a là un réel détriment pour la vie liturgique des fidèles, car seul un petit nombre d'entr'eux peut assister à la messe en semaine. Pour les pays où ces deux fêtes ne sont plus d'obligation ne conviendrait-il pas de les reporter au dimanche suivant <u>avec les privilèges liturgiques</u> d'une fête de Ière classe du Seigneur (toutes les messes de la fête sans aucune mémoire du dimanche)?

En la fête de la Présentation du Seigneur (2 février), il importe que le rite de la bénédiction des cierges soit simplifié, comme l'a été celui de la bénédiction des rameaux. Comme pour la bénédiction des rameaux, il convient que, là où c'est possible, la procession se rende d'un endroit à un autre, qu'elle soit un véritable cheminement.

L'Annonciation de la sainte Vierge (<u>festum Domini</u>) devrait être célébrée soit en Avent, soit le 25 mars, mais sans translation possible de la fête. Quand le 25 mars tombe un dimanche, on pourrait établir un <u>officium mixtum</u>, comme en connaissent plusieurs rites: la messe serait par exemple du dimanche avec les oraisons et l'évangile de l'Annonciation.

En dehors de la solennisation plénière des fêtes intimement liées à la célébration du mystère du salut, il faut <u>restreindre le plus possible</u> le nombre des solennités extérieures reportées au dimanche, en retenant la réforme de saint Pie X qui est restée lettre morte pour les fidèles en raison de la multiplicité des solennités autorisées le dimanche par le décret de la S.R.C. du 28 octobre 1913.

<u>La pratique pénitentielle dans son lien avec le cycle liturgique</u> devrait être revisée. S'il appartient à une autre commission de statuer sur la nature de la discipline pénitentielle à imposer à des chrétiens du 20e siècle, la Commission <u>de sacra Liturgia</u> doit émettre le voeu d'une revalorisation de cette discipline en liaison avec le déroulement du cycle liturgique. Il faut affirmer l'importance <u>omni exceptione maior</u> du jeûne pascal du Vendredi et du Samedi saint, ainsi que de la pénitence quadragésimale. Il est également très souhaitable que soit restaurée la tradition pénitentielle des Quatre Temps.

b – <u>Remarques particulières</u>

<u>Semaine Sainte</u>

En vue de favoriser la participation active des fidèles aux <u>maxima redemptionis nostrae mysteria</u>, nous attirons l'attention sur deux Actions liturgiques: la Procession des Rameaux et la Veillée pascale.

La Procession des Rameaux requiert la participation d'une foule assez notable pour constituer vraiment un hommage solennel de la cité au Christ-Roi. Or, en certains pays déchristianisés ou non chrétiens, elle ne saurait grouper qu'en petit nombre de fidèles. Souvent elle ne peut même pas avoir lieu. Dans ce cas ne conviendrait-il pas que les evêques puissent ordonner un rite de remplacement, qui revêtirait une autre forme que celle d'une procession intérieure sans grande signification? Ce serait appliquer à la Procession des Rameaux ce que le CR a prévu pour les Litanies majeures ou mineures (n° 83). Ce rite pourrait consister dans une exaltation solennelle et une adoration de la Croix. Beaucoup d'Ordines du moyen-âge connaissent un rite semblable, qui s'accomplissait au début de la procession après le chant de l'évangile. C'est, semble-t-il, pour l'accompagner que fut composée l'antienne Ave, Rex noster, qui a été introduit dans la liturgie romaine en 1955.

La Veillée pascale. Au bout de onze ans de pratique, l'expérience pastorale suggère une simplification et une révision de l'Ordo vigiliae paschalis: diminution de la longueur de l'Exsultet et de la préface consécratoire des eaux, suppression de rites secondaires (tel l'office pro laudibus, qui n'a aucune raison d'être avant le coucher), révision dans le choix des quatre lectures paléotestamentaires. Pour que les fidèles reviennent plus volontiers à la messe du jour, il est souhaitable qu'ils soient admis à y communier de nouveau. En ce qui concerne l'heure de la Veillée pascale, on a prévu la possibilité d'anticiper l'office, propter graves rationes ordinis publici et pastoralis (Ordinationes et declarationes du février 1957 n° 19). Il est souhaitable qu'au lieu d'autoriser l'anticipation de l'Office de la Résurrection, on en permette la célébration le dimanche matin avant le lever du soleil, étendant à toute l'Eglise un indult qui a été accordé à plusieurs diocèses d'Allemagne et d'Autriche.

Carême

Il conviendrait que le déroulement du Carême soit mis davantage en relation avec les étapes du catéchuménat, spécialement par le rétablissement des trois évangiles fondamentaux de la catéchèse baptismal (Samaritaine, Aveuglené, Lazare) aux 3e, 4e et 5e dimanches de Carême et par la prière pour les catéchumènes dans l'Oratio fidelium de ces dimanches.

Il conviendrait aussi, pour que la communauté chrétienne prie dans la vérité, que disparaissent des jours où l'on ne jeûne pas les allusions au jeûne dans les oraisons et la préface (Au moyen âge en beaucoup d'églises on ne disait pas la préface Qui corporali jejunio le dimanche). Du point de vue de la vérité du rite, si important pour la participation des fidèles à la vie liturgique, il serait souhaitable que le 1er dimanche de Carême retrouve intégralement son rôle de Dimanche inaugural de la Quarantaine sacrée. Il faudrait pour cela supprimer les quatre jours d'anticipation du jeûne, qui « n'anticipent » plus rien et, si l'on veut conserver le rite de l'imposition des cendres, fixer celui-ci

au lendemain, le lundi de la première semaine de Carême devenant le Lundi des cendres.

Temps pascal

La mise en valeur du Temps pascal est une nécessité pastorale urgente. Le fait d'insister exclusivement sur le Carême en laissant dans l'ombre le Temps pascal entraine un déséquilibre doctrinal, une menace de Pélagianisme: après avoir invité la communauté chrétienne à l'effort ascétique, il importe de lui faire découvrir les splendeurs de la vie nouvelle en Jésus-Christ.

Cette mise en valeur est d'abord un problème de catéchèse sacerdotale, mais elle sera heureusement aidée par certains aménagements liturgiques: que les dimanches du Temps pascal soient de Ière classe; qu'on y lise, ainsi que les mercredis et vendredis, les Actes des Apôtres et l'Apocalypse; que, pour cette raison, les mercredis et vendredis soient des féries de 3e classe l'emportant sur les fêtes du même degré; que tous les Communs des saints soient dotés de formulaires ou au moins de lectures propres au Temps pascal; que le Dimanche de la Pentecôte retrouve sa fonction de couronnement de la Pentecostè par la suppression de son octave.

2 – Année liturgiques et dévotions

Un des obstacles à la participation active des fidèles au déroulement de l'année liturgique consiste dans la concurrence que font à la liturgie des dévotions sous la forme de mois consacrés à la sainte Vierge (mai et octobre), au Sacré-Coeur (juin), à saint Joseph (mars), pour ne signaler que les principaux; sous la forme des neuvaines préparatoires aux fêtes du Sanctoral; sous la forme des dévotions à plusieurs jours consacrés au début de chaque mois au Christ-Prêtre, au Sacré-Coeur et au Coeur Immaculé de Marie.

a – Comment ces dévotions sont-elles un obstacle à la liturgie?

D'abord parce que certaines, en raison de leur date, détournent l'attention de l'objet que propose la liturgie: tels le mois de saint Joseph en Carême, les messes votives du Christ-Prêtre, du Sacré-Coeur et du Coeur Immaculé dans la première semaine de mars, d'avril ou de décembre.

Ensuite parce que c'est une loi de la psychologie qu'on ne peut imposer aux fidèles un effort soutenu durant un long temps. Quand arrive le mois de mai, ils viennent tout juste d'ordinaire de sortir du Carême et de fêtes pascales durant lesquels il leur a été beaucoup demandé. Il faut choisir entre les deux.

Enfin parce que les fidèles n'ont souvent pas reçu l'éducation religieuse suffisante pour discerner d'eux-mêmes l'essentiel de l'accessoire. Parmi les vota

des évêques on peut relever celui de l'un des Eminentissimes Cardinaux: Mihi quidem videtur, salvo meliore judicio, periculum non abesse quod Beatissima Virgo Maria de facto deveniret centrum devotionis et precum non paucorum fidelium, ita ut "psychologicae" locum principale teneret, quamvis omnes "de jure" agnoscerent Christum Dominum esse lapidem angularem totius veritatis revelatae. Partant de cette constatation l'Eminentissime Cardinal propose ut edatur constitutio dogmatica indicans quod, sicut Christus est centrum [et fundamanetum veritatis catholicae, ita deberet esse centrum aggiunto in nota a mano] et fundamentum devotionis et vitae spiritualis fidelium (Cardinal d'Alton, archevêque d'Armagh). Or la mise en valeur du cycle liturgique par rapport aux dévotions pèserait en fait d'un plus grand poids qu'en déclaration doctrinale pour corriger les déviations de la piété catholique.

b – Comment affirmer le primat du cycle liturgique?

Il faut tirer les conséquences pratiques du principe qui a été clairement posé par l'Instruction De Ordine Hebdamadae Sanctae instaurato rite peragendo: Edoceantur porro fideles de summo valore sacrae Liturgiae, quae SEMPER, et his praesertim diebus, ceteras devotionis species et consuetudines, quamvis optimas, natura sua longe praecellit (n° 23). Edoceantur: il s'agit d'abord d'une catéchèse patiente.

Mesures pratiques: que les messes votives du Christ-Prêtre, du Sacré-Coeur et du Coeur Immaculé de Marie soient ramenée à la 4e classe; que la fête de saint Joseph, fixée au 19 mars pour une raison d'omonymie entre le Père nourricier de Jésus et un martyr inconnu d'Antioche, soit célébrée au Temps de Noël; que le culte des divers mois, y compris celui du Rosaire, demeure du domaine de la dévotion privée et ne comporte pas pour le clergé l'obligation d'organiser des pia exercitia quotidiens, dont il ne peut souvent assurer la direction qu'au détriment de son ministère pastoral.

Pauca pro multis: la règle de saint Augustin vaut pour l'année liturgique. Quand on aura fait participer le plus intensément possible les fideèles à la messe dominicale, à la célébration de la Pâque annuelle durant les treize semaines du Carême et de la Pentecostè, aux saintes solennités de Noël-Epiphanie, quand on les aura invités à sanctifier la semaine par la messe quotidienne ou, du moins, par celle du mercredi et du vendredi, on pourra laisser tout le reste au secret de leur dialogue avec le Seigneur, aux libres orientations de l'Esprit qui réside en eux.

Voeu fondamental

Tous les efforts pastoraux pour faire participer activement les fidèles à la célébration de la sainte Messe n'aboutiront qu'à des résultats partiels et

perpétuellement remis en question par le simple poids de la nature humaine, si le Saint Concile ne consent à faire une déclaration doctrinale et à en promulger une loi:

— une déclaration doctrinale sur le fait que la messe, acte principal du culte chrétien comprend deux parties distinctes: liées étroitement l'une à l'autre: une liturgie de la Parole de Dieu et le sacrifice eucharistique. La Parole de Dieu est un élément essentiel de l'assemblée liturgique. Elle est nourriture pour les âmes (De imitatione Christi IV, II); elle est aussi proclamation dans l'Eglise du mystère du salut que réalise l'Eucharistie.

— une précision canonique: le fidèle n'a pas satisfait au précepte de l'assistance à la messe dominicale s'il n'est pas arrivé avant l'epître.

La conviction dans le peuple chrétien est trop ancrée qu'il suffit d'arriver à la messe pour l'offertoire, la négligence est trop grande en ce qui concerne l'exactitude horaire pour qu'on puisse déraciner l'une e l'autre par un seul effort de catéchèse. Celui-ci doit s'appuyer sur une promulgation solennelle de la loi.

Pierre Jounel

12. Versione in lingua italiana della prima parte del contributo di P. Jounel (ASV, *Conc. Vat. II*, Busta 1361)

LA PARTECIPAZIONE ATTIVA DEI FEDELI ALLA LITURGIA

La presente relazione ha lo scopo di stabilire il fondamento teologico e le esigenze pratiche della partecipazione dei fedeli alla liturgia.

Prima parte
Il fondamento teologico e la partecipazione attiva

Lo schema di studio approvato dalla Commissione di Sacra Liturgia nella riunione del 12 novembre 1960, è il seguente: Sacerdotii fidelium theologica fundamenta exponantur. Qua ratione eadem principia in praxi applicari debent ad fidelium participationem in Missae Sacrificio, in Sacramentis et Sacramentalibus, in Officio divino. L'impostazione del problema rivela una presa di posizione circa la soluzione dello stesso. Ciò si deduce da quel testo comunemente ammesso, che il sacerdozio dei fedeli è il fondamento teologico della loro partecipazione attiva alla liturgia.

In esso, a nostro parere, vi è un grave errore di metodo. Infatti non solo la teologia del sacerdozio regale esige ancora molta riflessione per essere pienamente

dilucidato, ma la maggior parte di coloro che lo hanno studiato, sia sotto l'aspetto esegetico e patristico che sotto quello teologico, sono d'accordo nell'affermare che essa non si pone ex professo sul piano liturgico, ma sul piano dell'esse cristiano stesso e su quello dell'attività spirituale del popolo fedele. Se può interessare in modo sussidiario la Commissione di Sacra Liturgia, essa interessa prima di tutto la Commissione teologica e quella dell'Apostolato dei laici. Voler dare perciò alla teologia del sacerdozio regale un carattere principalmente liturgico, sarebbe falsarne in partenza le prospettive.

Aggiungiamo un'osservazione di fatto. Non si potrebbe far progredire la teologia del sacerdozio regale se non in una disputa fra esegeti, patrologisti, storici e teologi. Ora avviene che, se parecchi membri o consultori delle Commissioni preparatorie al Concilio sono un'autorità in materia, nessuno fa parte della sottocommissione incaricata di elaborare una sintesi sul "sacerdozio dei fedeli": Mgr Cerfaux, i RR. PP. Botte e D. Capelle lavorano in altre sottocommissioni della Commissione della S. Liturgia. E qui vi è un secondo errore di metodo.

Da parte nostra, convinti che la teologia del "sacerdozio dei fedeli" non può fornire una base teologica solida e indiscutibile alla partecipazione attiva dei battezzati alla liturgia, ci contenteremo di fare uno status quaestionis prima di ricercare quale sia il fondamento vero di questa partecipazione.

A – Il sacerdozio dei fedeli e la partecipazione attiva

La ricerca dei fondamenti della partecipazione attiva dei fedeli alla Liturgia ha formato l'oggetto di due sessioni di studi, le quali, benché tenute a 25 anni di distanza l'una dall'altra, sono giunte alle stesse conclusioni: la Settimana liturgica di Lovanio del 1933 e la Sessione di Vanves del 1959. I lavori della prima, organizzata dalla Badia di Mont-César di Lovanio, furono pubblicati sotto il titolo: La participation active des fidèles au culte (Lovanio 1934). Dei lavori della seconda è stata pubblicata solo la relazione iniziale di D. A. Robeyns: Les droits des baptisés dans l'assemblée litugique (La Maison-Dieu, n. 61, pp. 97-130). Si troverà annessa questa relazione che ha il vantaggio di riassumere con chiarezza le conclusioni di Lovanio e le più notevoli delle 212 opere o articoli pubblicati sulla questione tra il 1933 e il 1956. Noi abbiamo aggiunto un brano stenografico sulla discussione che segue.

Ci pare di poter stabilire nel modo seguente la sintesi del dibattito:

1 – L'aspetto esegetico (L. Cerfaux)

I testi biblici sui quali si basa la teologia del sacerdozio regale (Esodo 19, 6; Ia Petri 2, 9; Apocalisse 1, 6; 5, 10; 20, 6) vogliono mettere in evidenza il carattere spirituale ed escatologico del culto cristiano. La formula perciò non deve esprimere

né direttamente, né primieramente, la partecipazione dei fedeli al culto eucaristico o alla liturgia senza aggiungere altro. Al contrario, quando si tratterà di fargli comprendere il senso della loro dignità di cristiani, dell'onore del loro battesimo e degli obblighi del "servizio" religioso al quale sono chiamati, essa sarà meravigliosamente al suo posto per degli sviluppi parenetici.

2 – L'aspetto storico

Per l'antichità cristiana (B. Botte)

Nella tradizione vi è una certa dottrina sul sacerdozio dei fedeli, più sviluppata, a quanto sembra, in Occidente che in Oriente. I cristiani sono sacerdoti, presi nel loro insieme, in quanto sono incorporati all'unico sacerdote. La consacrazione battesimale non conferisce al battezzato un potere propriamente sacerdotale, più specificamente sacrificale. Storicamente la partecipazione dei fedeli al culto non è basata su una teologia del loro sacerdozio.

Per il medio evo (P. Charlier)

Di fronte alla formula "sacerdozio dei fedeli" la reazione dei grandi maestri della teologia del XIII sec. è negativa. Gli scolastici accettano la formula perché è tradizionale, ma si rifiutano di ammettere un sacerdozio nel fedele. Tuttavia secondo S. Tommaso, il carattere battesimale conferisce al battesimo una certa partecipazione al sacerdozio di Cristo, partecipazione che è innanzitutto e principalmente una potenza passiva, alla quale tuttavia egli riconosce un aspetto attivo: partecipes ecclesiasticae unitatis.

Per l'epoca moderna (S. Robeyns)

Il Concilio di Trento, interessato a stabilire contro la Riforma l'esistenza di un sacerdozio sacramentale, non si occupò affatto del sacerdozio dei fedeli.

La scuola francese del XVII sec. ha gradatamente valorizzata l'idea che il fedele offre con il sacerdote, ma questi solo sacrifica.

La scuola romantica tedesca ha insistito sulla qualità e sul potere speciale che derivano al fedele dalla sua appartenenza alla Chiesa; sull'idea del corpo la cui azione è presente in ciascun membro.

La teologia contemporanea ha illustrato la teologia della partecipazione dei fedeli al culto, precisando, seguendo S. Tommaso, la dottrina del carattere battesimale dei sacramenti in generale: il carattere ci abilita al culto della Chiesa; esso ci abilita a compiere atti visibili che costituiscono l'omaggio del corpo di Cristo al suo Capo, accrescendo lo splendore dell'omaggio personale di Cristo al Padre. Facendo del cristiano lo strumento del culto di Cristo, il carattere lo

rende partecipe del suo sacerdozio. Il battesimo dà così il potere e conferisce l'incarico di agire in quanto membro del Cristo nell'esercizio del suo sacerdozio.

3 – L'aspetto teologico

Riporteremo soprattutto l'opinione dei due teologi che hanno studiato il sacerdozio regale in se stesso e non nella sua relazione con la celebrazione liturgica.

a) J. Lécuyer, tanto nel suo Essai sur le sacerdoce des fidèles chez les Pères (LMD n. 27), quanto nel suo libro Le sacerdoce dans le mystère du Christ (Parigi 1956), giunge a queste conclusioni:

"Il sacerdozio dei fedeli ci appare nei libri santi come un prolungamento del sacerdozio di Gesù. Questo solo costituisce il nuovo sacrificio, il nuovo tempio, il nuovo altare; e tuttavia, sotto certi aspetti, i cristiani vi partecipano; imperocché per mezzo della fede essi possono penetrare fin d'ora nel santuario celeste, aderire con tutta la loro anima alla salvezza operata dal sacrificio di Gesù e unire liberamente tutta la loro vita alla sua stessa offerta... Per mezzo della fede e della carità, i cristiani sono incorporati a Cristo e formano un solo Corpo, un solo spirito, e il sacerdozio di Cristo, come il suo sacrificio, si estende a tutto il Corpo, a ciascun membro del suo Corpo, senza cessare di restare il suo. Considerata sotto questo aspetto, tutta la vita cristiana è un atto sacerdotale, un sacrificio, pertanto, restando nell'ambito del pensiero dei libri santi, crediamo che una lettura attenta dei testi citati, permette di scoprire due aspetti complementari di questa attività sacerdotale dei cristiani. Notiamo subito che vi è il campo della fede personale, con gli atteggiamenti che essa ispira a tutti i cristiani: culto "in spirito e verità", pratica di una vita morale conforme al Vangelo, beneficenza, ecc,; in una parola, tutto ciò che deriva dalla nostra condizione di "figli adottivi di Dio" in cammino verso la nostra eredità celeste... Ma notiamo altresì il campo della missione speciale che ciascuno di noi deve compiere in seno al Corpo di Cristo che è la Chiesa: evangelizzazione sotto le sue diverse forme, testimonianza di fronte ai miscredendi, lotta contro il male non solo in ciascuno di noi, ma nel mondo" (Le sacerdoce dans le mystère du Christ, pp. 196-197).

"Piuttosto che ciascun membro individuale, è il Corpo intero che è sacerdotale, secondo la parola di S. Pietro. È la Chiesa, ed essa solo, che continua sulla terra l'opera sacerdotale di Gesù: il vero sacrificio lo compie quaggiù essa sola... Tuttavia, poiché il battesimo dà a ciascun fedele il potere di unire la sua offerta individuale a quella del suo Capo, gli dà anche il potere di unirsi attivamente al sacramento che perpetua e prolunga l'unico sacrificio, e di cui anch'egli, unito al suo Capo, è a un tempo l'offerente e l'ostia... Questo diritto di partecipare ai

sacramenti e in particolare all'Eucaristia, è propriamente caratteristico del sacerdozio dei battezzati. Per partecipare attivamente alla vita liturgica della Chiesa, corpo sociale e visibile, la santità interiore non basta, è necessario essere stato aggregato con un rito sensibile al nuovo popolo sacerdotale, l'Israele di Dio, il Corpo di Cristo che è la Chiesa" (ibid. pp. 254-259).

Durante il dibattito che, a Vanves, seguì l'esposto di D. Robeyns, il P. Lécuyer dichiarò: "Per la questione che trattiamo qui (il fondamento teologico della partecipazione attiva dei fedeli alla liturgia) credo che non si debba partire dalla nozione del "sacerdozio dei fedeli", che è molto complesso. Nella tradizione dei testi che si ricollegano a ciò che vien detto il "sacerdozio dei fedeli", esiste il diritto dei battezzati di partecipare all'offerta eucaristica: ma tali testi sono molto rari".

b) Y. M. Congar in Structures du sacerdoce chrétien (LMD n. 27) e in Jalons pour une théologie du laïcat (Parigi 1953) espone la teologia del sacerdozio regale nel modo seguente:

Natura del sacerdozio dei fedeli: Il sacerdozio dei fedeli è spirituale (Jalons, pp. 177). Secondo la Scrittura e la Tradizione, non può essere definito una competenza sacramentale e liturgica. Ma i Padri e la liturgia hanno sviluppato l'aspetto del suo legame a una considerazione battesimale (idid. P. 181-196). Il sacerdozio non si può definire in base alla nozione di mediatore, ma in base a quella di sacrificio (pp. 196-204). Il sacerdozio della Chiesa s'innesta in quello di Cristo (pp. 204-246).

Le attività del sacerdozio dei fedeli: Esse si collocano prima di tutto sul piano spirituale per tutta la sua vita morale come vita consacrata (pp. 246+269). Poi sono di ordine liturgico: il fedele partecipa al sacrificio della Chiesa in quanto offre il Cristo e offre il proprio corpo. Egli partecipa al sacrificio della Chiesa che offre il Cristo, facendo "voto" ciò che il sacerdote fa "mysterio"; partecipa al sacrificio della Chiesa che offre il proprio corpo, offrendo le oblata e offrendo se stesso (pp. 246-296). Di più, questo sacerdozio dei fedeli che rientra nell'ordine della vita e non è istituzionale, offre varie possibilità per i laici in ordine agli altri sacramenti da conferire: battesimo, matrimonio, confessione dei laici, distribuzione della comunione (pp. 300-308). Pertanto bisogna di proposito smettere di parlare (non è più il caso) pro o contro la relazione che esiste tra questo sacerdozio e l'offerta liturgica dell'Eucaristia. Il dato biblico e tradizionale, che in questo caso è molto esplicito, non favorisce affatto un tale orientamento (LMD 27, p. 81). È così che il P. Congar, al termine d'una riflessione molto avanzata, si riallaccia all'interpretazione esegetica di Mgr Cerfaux e allo studio patristico di D. Botte.

Forse si potrà compendiare quanto è stato detto nelle seguenti proposizioni:

1) La Chiesa, corpo del Cristo, partecipa al sacerdozio regale del suo Capo.

2) Popolo sacerdotale della nuova Alleanza, la Chiesa offre il sacrificio del Cristo, che è il sacrificio di tutto il Corpo: Capo e membra.

3) Ma se il sacrificio del Cristo totale trova la sua espressione più sublime nella Messa, che rinnova e attua il sacrificio della Croce, tutta l'attività della Chiesa che trascina il mondo verso Dio sarà sacrificale, come insegna S. Agostino. La rinnovazione rituale del sacrificio di Cristo ha per scopo di glorificare Dio, intensificando sempre più il sacrificio spirituale della Chiesa.

4) Incorporato alla Chiesa mediante il battesimo, perfezionato dalla Cresima, il cristiano fa parte del Popolo sacerdotale. Incorporandolo al Popolo sacerdotale, il carattere battesimale lo rende partecipe del sacerdozio regale di Cristo e lo abilita a offrire il sacrificio della Nuova Alleanza.

5) Il battezzato non partecipa in modo univoco ai tre aspetti del sacrificio della nuova Alleanza: rinnovazione rituale del sacrificio della Croce, oblazione rituale del sacrificio della Chiesa, offerta permanente del sacrificio spirituale. Il suo carattere battesimale lo deputa prima di tutto al sacrificio spirituale della Chiesa, poiché, se la Chiesa si deve offrire a Dio come un'ostia vivente, in chi lo farebbe se non nelle sue membra vive? Il sacrificio spirituale dei cristiani è un elemento essenziale del sacrificio della Chiesa. In ciò che concerne la rinnovazione rituale del sacrificio della Croce, il battezzato non partecipa se non in misura in cui tutta la Chiesa, corpo del Cristo, è presente col suo Capo nella persona del sacerdote gerarchico, e in cui egli si associa "voto" all'azione sacrificale di questo sacerdote. Ma il sacrificio rituale di Cristo è anche quello di tutto il suo Corpo, e, in quanto sacrificio della Chiesa, esso esige la partecipazione attiva di tutti i battezzati presenti all'assemblea eucaristica: offerta delle oblate, partecipazione alla "prex eucharistica", ratificazione cosciente dell'azione sacerdotale, comunione del (col) Corpo e Sangue del Signore.

Se si accettano queste cinque proposizioni, si noteranno tre cose: la prima è che la nozione di sacerdozio e le attività sacerdotali non possono applicarsi al battezzato che in riferimento alla Chiesa; la seconda, che l'aspetto liturgico non è il primo nella nozione e nelle attività del sacerdozio dei fedeli; la terza, è che l'attività liturgica essenziale del sacerdozio di Cristo nella Chiesa deve essere negata ai fedeli, perché essa esige che si sia ricevuto il sacramento dell'Ordine.

Queste sono le ragioni che ci fanno escludere la nozione di sacerdozio dei fedeli come fondamento principale della loro partecipazione attiva alla liturgia.

13. Contributo di K. Rahner (ASV, *Conc. Vat. II*, Busta 1361)

Riportiamo il contributo di K. Rahner mettendo in sinossi il testo latino inedito, conservato nell'ASV tra i documenti della Commissione liturgica preparatoria, e la sua prima edizione in lingua tedesca. Un ringraziamento va a P. Andreas Batlogg SJ del *Karl-Rahner-Archiv* di Monaco e a P. Ralf Klein SJ della *Deutsche Provinz der Jesuiten* per l'autorizzazione a pubblicare i testi.

Il saggio conobbe diverse edizioni, precisamente:
1. "Thesen über das Gebet im Namen der Kirche", in *Zeitschrift für katholische Theologie*, 83 (1961), pp. 307-324.
2. "Thesen über das Gebet im Namen der Kirche", in K. RAHNER, *Schriften zur Theologie*, Band 5, Einsiedeln, 1962, pp. 471-493.
3. "Thesen über das Gebet im Namen der Kirche", in *Theologisches Jahrbuch*, Leipzig, 1965, pp. 133-149.

Compare inoltre nell'opera omnia di Rahner: H. VORGRIMEL (herausgegeben), *Sämtlichen Werken K. Rahners*, SW 14, Herder, Freiburg im Breisgau, 2006, pp. 79-96.

Nel dattiloscritto latino compare un frontespizio con le seguenti indicazioni:

PONTIFICIA COMMISSIO DE SACRA LITURGIA
PRAEPARATORIA CONCILII VATICANI II
Prot. 711/SL/61
Posiz. SL/S.9/R.15

De natura et valore precationis christifidelium
in relatione ad Corpus Christi mysticum
auctore Carolo Rahner S. J.

Segue anche un indice:

Index

De natura et valore
precationis christifidelium
in relatione ad Corpus Christi mysticum.

THESEN ÜBER DAS GEBET
„IM NAMEN DER KIRCHE"
Von Karl Rahner S.J., Innsbruck

1. De natura orationis in genere.

1. Über das Wesen des Gebetes im allgemeinen

Oratio, cum sit actus religionis, i.e. actus creaturae spiritualis, quo se vertit ad Deum, eius infinitam excellentiam agnoscendo, laudando, sese ei submittendo, explicite aut implicite (si est explicita petitio decentium a Deo), est actus, quo a) homo totum se "actualizat" et b) hanc realitatem humanam ita actualizatam Deo subicit et quasi tradit[1].

Gebet ist ein Akt der *religio,* d. h. also ein Akt des geistbegabten Geschöpfes, mit dem es sich zu Gott dadurch hinwendet, daß es Ausdrücklich oder einschlußweise seine grenzenlose Überlegenheit anerkennt, preist und sich ihr (glaubend, hoffend und liebend) unterwirft. Daher ist das Gebet ein Akt, durch den sich a) der Mensch als ganzer „aktualisiert" und b) diese so aktualisierte menschliche Wirklichkeit Gott unterwirft und gleichsam übergibt[1].

2. De valore orationis in genere.

2. Über den Wert des Gebetes im allgemeinen

Quapropter iste actus orationis in sua natura et suo valore dependet a natura et dignitate huius realitatis humanae actualizatae et Deo quasi traditae et ab intimitate[a], qua orans tali traditione sui ipsius Deo adhaerere potest.

Licet haec intimitas dependeat a benignitate Dei diversa ratione et diverso gradu ad se admittentis, haec admissio orantis ad Deum per Deum obiective, realizatur eo, quod Deus homini confert maiorem aut minorem possibilita-

Deshalb hängt dieser Gebetsakt in seinem Wesen und Wert von zwei Faktoren ab: einmal von Wesen und Würde dieser aktualisierten und Gott gleichsam übereigneten menschlichen Wirklichkeit, zum andern von der Intensität und existentiellen Radikalität, mit der der Beter durch eine solche Hingabe seiner selbst Gott anzuhangen vermag. Wenn auch diese Intensität selbst wieder von der Gnade Gottes abhängt, der den Beter auf verschiedene Weise und in verschiedenem Ausmaß an sich zieht, so wird doch dieses An-Gott-Herankommen des

tem _activam_ accendendi ad Deum praecise per maiorem aut minorem actualizationem sui ipsius et traditionis sui (gratia enim est praecise gratia _agendi_: ut potentia remotior aut propior actionis, qua creatura Deo adhaeret). Hinc natura et dignitas orationis a diversa ratione et gradu dependet, quo quis ad Deum accedere potest.

Beters objektiv von Gott dadurch verwirklicht, daß Gott dem Menschen die groBere oder geringere _aktive_ Möglichkeit gewährt, zu ihm eben durch größere oder geringere Aktualisierung seiner selbst und seiner Hingabe hinzutreten (Gnade ist nämlich genau Gnade des _Handelns_ als entferntere oder nähere Potenz der Handlung, durch die die Kreatur Gott anhängt). Daher hängen Wesen und Würde des Gebetes von der jeweils verschiedenen Weise und dem jeweils verschiedenen Ausmaß ab, womit sich jemand Gott zu nähern vermag.

3. De gloria Dei (externa) augenda.

3. Über die Mehrung der (äußeren) Ehre Gottes

Ut ea, quae deinceps dicenda sunt, recte intelligi et pensari possint, quaedam de gloria Dei externa formali praemittenda sunt. Recte Schola distinguit inter gloriam Dei obiectivam[b] et formalem.
Obiectiva Dei gloria exhibetur a qualibet Dei creatura, prout et inquantum _est_ et inde resplendet aliquid perfectionis Dei. Formalis gloria Dei habetur eo, quod spiritualis et libera creatura sua libertate[c] agnoscit Dei infinitam excellentiam. Haec ergo gloria Dei formalis et "subiectiva" fieri non potest nisi actibus formaliter humanis et quidem ethice bonis seu honestis.

Zum Verständnis des später Folgenden seien einige Vorbemerkungen über die _gloria Dei externa formalis_ vorausgeschickt. Mit Recht unterscheidet die Schultheologie zwischen objektiver (= materialer) und formaler Verherrlichung Gottes. Objektive Verherrlichung Gottes wird von jedem Geschöpf Gottes geleistet, insofern es ist und daher etwas von der Vollkommenheit Gottes widerspiegelt. Formale Verherrlichung Gottes geschieht dadurch, daß die geistbegabte und freie Kreatur in liebender Freiheit die grenzenlose Überlegenheit Gottes anerkennt. Diese formale und „subjektive" Verherrlichung Gottes kann nur durch formal menschliche und zwar ethisch gute Akte (= _actus onesti_) geschehen. Denn

Nam his solis agnoscitur Dei infinita sanctitas et Deus honoratur, prout honorari velle debet a creaturis.
Omnis alia perfectio et hinc tota gloria externa obiectiva et materialis unice dirigitur tamquam medium et praesuppositio in hanc Dei gloriam externam formalem.

durch diese allein wird die unendliche Heiligkeit Gottes anerkannt und Gott so geehrt, wie er notwendig von den Geschöpfen geehrt werden will. Jede andere Vollkommenheit und daher die ganze äußere objektive (= materielle) Verherrlichung zielt als Medium und Voraussetzung einzig auf diese äußere

Sine tali gloria formali illa obiectiva gloria existere quidem potest (sicut tum in mundo existit, qui Deo debitam oboedientiam non praestat, tum in damnatis); sed etiam in _hac_ suppositione ultimatim inservit hominibus, qui vere Deum formaliter glorificant, quippe cum numquam mundus exstiterit aut futurus sit, in quo non inveniuntur creaturae formaliter Deum glorificantes, et iste mundus de facto existens talis sit non tantum voluntate Dei consequente sed etiam antecedente. Et insuper et praesertim: rationalis[d] creatura non potest licite intendere hanc gloriam Dei mere obiectivam, quin ipsam ordinet ad gloriam formalem, quippe cum ipsa haec creatura ad gloriam Dei formalem praestandam creata et ordinata sit et hinc finem ipsius negaret, si unice vellet gloriam Dei obiectivam prosequi.

formale Verherrlichung Gottes ab. Zwar kann jene objektive Verherrlichung ohne eine solche formale Verherrlichung vorhanden sein (wie sie gegeben ist sowohl in der Welt, die den Gott geschuldeten Gehorsam nicht leistet, als auch bei den Verdammten); aber auch unter dieser Voraussetzung dient sie letztlich den Menschen, die Gott wahrhaft formal verherrlichen, da es ja nie eine Welt gab oder geben wird, in der sich nicht Geschöpfe finden, die Gott formal verherrlichen, und da die tatsächlich existierende Welt eine solche ist (d. h. mit einer formalen Verherrlichung Gottes) nicht nur auf Grund der _voluntas Dei consequens_, sondern auch der _voluntas Dei antecedens_. Und außerdem und vor allem: ein geistbegabtes Geschöpf kann erlaubterweise diese nur objektive Verherrlichung Gottes nicht anstreben, ohne sie auf die formale Verherrlichung hin auszurichten, da ja dieses Geschöpf selbst daraufhin geschaffen und hingeordnet ist, die formale Verherrlichung Gottes zu leisten und so sein eigenes Ziel verleugnen würde, wenn es einzig die objektive Verherrlichung Gottes beabsichtigen wollte.

Iamvero inde elucet principium, quod in nostra tota inquisitione maximi momenti est: omnes illi actus hominis (quicumque sunt), qui non sunt actus naturaliter et supernaturaliter simpliciter boni (bonitate ethica [honesta] et – saltem implicite – religiosa), recensendi sunt inter res obiective et materialiter tantum Deum glorificantes et subsunt igitur principio de hac gloria Dei mere obiectiva, quod modo statuimus.

Daraus ergibt sich ein Prinzip, das in unserer ganzen Frage höchst bedeutsam ist: alle jene Akte des Menschen (welche immer es sind), die nicht – natürlich und übernatürlich – schlechthin gut sind (ethisch und – mindestens einschlußweise – religiös gut), müssen unter die Dinge eingereiht werden, die Gott nur objektiv und materiell verherrlichen, und unterliegen also dem vorhin aufgestellten Prinzip über diese rein objektive Verherrlichung Gottes.

Inde sequitur: actus, quibus a peccatore aut infideli _aut_ sacramenta administ-

Daraus folgt: Akte, mit denen ein Sünder _oder_ Ungläubiger entweder

strantur <u>aut</u> preces, – ut ab Ecclesia praescriptae – mere obiective (i.e. sine vera devotione, etsi cum attentione externa) recitantur <u>aut</u> potestates in Ecclesia existentes exercentur, constituunt quidem gloriam Dei obiectivam, prout sunt (praecisive tales, i.e. abstrahendo ab actus peccaminositate) a Deo voliti sicut aliae res a Deo sive immediate creatae sive alterius creaturae ope productae, sed nec dici possunt Deum formaliter glorificantes nec a fortiori hanc Dei gloriam formalem augentes nec per se solos appetibiles a creatura spirituali nec a Deo ratione sui solius voliti. Tales actus possunt quidem esse signa obiective manifestantia voluntatem Dei efficacem (uti fit tum in actibus potestatis Ecclesiae a peccatore positis tum in positione signorum sacramentalium), et ita actus instrumentaliter agentes vi virtuteque causae iam independenter ab eis existentis, quae causa in istis signis manifestata – voluntas creata nempe Christi potestates Ecclesiae et sacramenta condentis – praestat Deo gloriam formalem, sed ipsi illi actus per se solos non constituunt novum valorem Deum moventem, cum enim <u>talis</u> non habeatur nisi in actibus formaliter Deum glorificantibus.

Inde elucet[2], quid de efficacia orationum dicendum sit, quae et quatenus "nomine Ecclesiae" persolvuntur et quibus ex hoc mandato ecclesiastico <u>solo</u> iam efficacia coram Deo a quibus-

Sakramente verwaltet <u>oder</u> Gebete – als von der Kirche vorgeschriebene – rein objektiv (d. h. ohne wirkliche Andacht, wenn auch mit äußerer Aufmerksamkeit) verrichtet <u>oder</u> in der Kirche gegebene Vollmachten ausübt, konstituieren zwar eine objektive Verherrlichung Gottes, insofern sie (als präzisiv solche, d. h. abgesehen von der Sündhaftigkeit des Aktes) von Gott so gewollt sind wie andere Dinge, die von Gott entweder unmittelbar geschaffen oder mit Hilfe eines anderen Geschöpfes hervorgebracht werden; man kann aber nicht sagen, daß solche Akte Gott formal verherrlichen oder gar diese formale Verherrlichung Gottes steigern, oder daß sie als solche von der geistigen Kreatur anzustreben oder von Gott um ihretwillen gewollt sind. Solche Akte können immerhin Zeichen sein, die objektiv den wirksamen Willen Gottes manifestieren (wie es z. B. vorkommt sowohl dann, wenn ein Sünder Akte der Kirchengewalt setzt, als auch bei der Setzung sakramentaler Zeichen). Sie sind so Akte, die instrumental wirken kraft einer Ursache, die schon unabhängig von ihnen existiert; diese, in jenen Zeichen manifestierte Ursache – nämlich der geschaffene Wille Christi, der die Vollmachten der Kirche und die Sakramente einsetzt – erweist Gott formale Verherrlichung; aber jene Akte selbst konstituieren durch sich allein nicht einen neuen, Gott bewegenden Wert, da ein <u>solcher</u> nur in Akten gegeben ist, die Gott formal verherrlichen.

Aus all dem ergibt sich[2], was über die Wirksamkeit der Gebete zu sagen ist, die und insofern sie „im Namen der Kirche" verrichtet werden und denen aus diesem kirchlichen Auftrag <u>allein</u>

dam theologis attribuitur (cf. v.gr. H. Noldin-G. Heinzel, Summa Theologiae Moralis II[31] Innsbruck 1957/nr. 754)[e]. Talis oratio, quae et quatenus fit sine ulla interna devotione, potest quidem quoad substantiam haberi impletio obligationis Divini Officii aut praescriptae in Rituali benedictionis aut administrationis alterius Sacramentalis aut alterius functionis liturgicae. Etiam talis oratio est igitur hoc sensu facta "nomine Ecclesiae" et proinde etiam signum obiectivum manifestativum illius piae supplicationis, quae semper in Ecclesia per praedefinitionem formalem divinam indefectibiliter etiam subiective sancta habetur.

Quatenus tale signum est, potest hoc signo pius quidam, cui v. gr. tale Sacramentale ab improbo sacerdote applicatur, ordinari in sua dispositione ad fructus ex hac pia Ecclesiae supplicatione percipiendos (aucta per tale Sacramentale dispositione) et eatenus etiam ex impia sacerdotis functione liturgica fructus provenire dici licet. Sed ipsa haec oratio, licet nomine Ecclesiae facta, nullum novum valorem supplicatorium coram Deo gignit, quippe cum talis nonnisi actibus formaliter Deum glorificantibus produci possit et etiam Ecclesia ipsa, inquantum est auctrix talis valoris, his actibus verae orationis id praestat, quae oratio Ecclesiae de facto numquam deest. Si vero ex supposito neque sacerdos (v.gr. Sacramentale administrans) vera devotione recitat neque fidelis (cui hoc Sacramentale applicatur) vera devotione audit preces respectivas, tali "oratione" qua tali simpliciter nihil fit nisi offensa Dei, licet sensu supradicto adhuc "nomine Ecclesiae" facta dici possit.

heraus von einigen Theologen[2a] eine gewisse Wirksamkeit vor Gott zugeschrieben wird. Wenn und insofern ein solches Gebet ohne irgendwelche innere Andacht geschieht, kann dies zwar *quoad substantiam* als Erfüllung der Breviergebetspflicht oder als Vollzug einer im Rituale vorgesehriebenen Segnung oder eines anderen Sakramentales oder einer anderen liturgischen Funktion gelten. Auch ein solches Gebet ist. also in diesem Sinn „im Namen der Kirche" verrichtet und von da aus auch objektives Zeichen jenes frommen Betens, das es in der Kirche immer und unfehlbar durch formale Prädefinition Gottes als ein auch subjektiv heiliges Beten gibt. Insofern ein solches Zeichen da ist, kann eben durch dieses Zeichen ein Frommer, dem z. B. ein solches Sakramentale von einem unfrommen Priester gespendet wird, in seiner Disposition darauf hingeordnet werden, die Früchte dieser frommen Bitte der Kirche zu erlangen (da seine Disposition durch das Sakramentale vermehrt wurde). Nur in diesem Sinn kann man sagen, daß auch die unfromme liturgische Handlung eines Priesters Frucht bringt. Aber obwohl dieses Gebet selbst im Namen der Kirche geschieht, bringt es doch keinen neuen „Bittwert" vor Gott hervor, da dieser nur durch Akte hervorgebracht werden könnte, die Gott formal verherrlichen, und da auch die Kirche selbst, insofern sie Urheberin eines solchen Wertes ist, dies durch diese Akte eines wirklichen Gebets tut, welches Gebet der Kirche faktisch niemals mangelt. Wenn wir also annehmen, daß weder der Priester (der z. B. ein Sakramentale spendet) die entsprechenden Gebete mit wirklicher Andacht rezitiert noch der Gläubige

(dem dieses Sakramentale gespendet wird) diese Gebete andächtig hört, geschieht durch dieses „Gebet" als solches schlechterdings nur eine Beleidigung Gottes, wenn man auch im obgenannten Sinn das Gebet noch als „im Namen der Kirche" geschehen bezeichnen kann.

4. De natura orationis supernaturalis in gratia Christi factae.

4. Über das Wesen des Gebetes, insofern es in der übernatürlich heiligenden Gnade geschieht

Inde (vide nr. 1 et 2) est, quod dignitas orationis christianae mensuram suam habet in dignitate hominis per gratiam habitualem supernaturaliter elevati et deificati, quippe cum haec deificata per gratiam natura hominis per actus virtutum theologicarum in oratione exercitarum actualizetur et Deo quasi tradatur eique actu (et non tantum habitu) adunetur.

Inde est, quod in ordine salutis concreto, in quo homo ad finem supernaturalem tendere et debet et potest, nonnisi talis oratio est meritoria de condigno vitae aeternae et nonnisi oratio gratia supernaturali aut habituali aut saltem actuali[f] excitata et animata actus salutaris dici potest[3].

Hac dignitate maior aut alia, quae cum hac quasi ex aequo comparari posset, cogitari nequit. Provenit enim haec dignitas ex deificatione hominis, qua (praeter unionem hypostaticam) in ambitu creaturarum maius nihil cogitari potest, quaeque ultimatim consistit in autocommunicatione Dei per gratiam increatam et in orante actualizatur illis gemitibus inenarrabilibus (Rom 8, 26),

Wie aus dem eingangs Gesagten hervorgeht, bemißt sich die Würde des christlichen Gebetes an der Würde des Menschen, der durch die heiligmachende Gnade übernatürlich erhoben und vergöttlicht wurde, da ja diese gnadenhaft vergöttlichte Natur des Menschen durch die Akte der theologischen Tugenden, die im Gebet geübt werden, aktualisiert und Gott gleichsam übergeben und mit ihm aktuell (nicht nur habituell) vereinigt wird. So kommt es, daß in der konkreten Heilsordnung, in der der Mensch ein übernatürliches Ziel anstreben muß und kann, nur ein solches Gebet *de condigno* das ewige Leben verdient und nur ein durch übernatürliche – heiligmachende oder wenigstens übernatürliche aktuelle – Gnade erwecktes und belebtes Gebet ein heilshafter Akt genannt werden kann[3].

Eine größere oder mit dieser *ex aequo* vergleichbare Würde (außer der Hypostatischen Union) ist undenkbar. Diese Würde geht nämlich aus der Vergöttlichung des Menschen hervor; Größeres kann im geschöpflichen Raum nicht gedacht werden. Diese Vergöttlichung besteht letztlich in der Selbstmitteilung Gottes durch die ungeschaffene Gnade und aktualisiert sich im Beter durch

quibus Spiritus Sanctus ipse in cordibus iustificatorum orationem hanc deificat.

Possunt quidem esse entia et proinde valores, qui ex una parte, in se considerati, veri valores dici debent et ex altera parte ab hoc valore entis deificantis (seu gratiae supernaturalis qua talis) et entis deificati distincti et ab hoc valore entis simpliciter et. quoad substantiam supernaturalis separabiles sunt et nihilominus ad hunc valorem accedere possunt.

Attamen haec sunt considerationis mere theoreticae et speculativae. Si quis enim actu intentionali et libero illum valorem gratiae presse dictae in eius dignitate absolute omnem alium valorem[4] transcendente prosequitur, non quidem negare debet aut excludere illum valorem inferiorem, qui ad hanc dignitatem filii Dei accedit; immo potest subsidiario et secundario modo illo valore adiuvari in prosecutione valoris istius sublimissimi[5], sed non potest illum valorem inferiorem aestimatione practica et "existentiali" attendere et prosequi tamquam "finem per se", quippe cum eodem actu duo fines principales[g] attingi nequeant et in oratione nefas esset dignitatem orationis ex gratia resultantem posthabere dignitati orationis v.gr. ex delegatione ecclesiastica provenienti.

Quod de dignitate orationis dicitur, pari modo valet de eius efficacia, quippe cum haec ab illa mensuretur (si abstrahimus a Dei imperscrutabili beneplacito, quo Deus in suis donis et hinc

jene unaussprechlichen Seufzer (Röm 8, 26), mit denen der Hl. Geist selbst in den Herzen der Gerechtfertigten dieses Gebet vergöttlicht.

Es kann zwar Seinswirklichkeiten und daher Werte geben, die einerseits, in sich betrachtet, wahre Werte genannt werden müssen und anderseits von diesem Wert des vergöttlichenden Seins (d. h. der übernatürlichen Gnade als solcher) und des vergöttlichten Seins verschieden und von diesem Wert eines schlechthin und substantiell übernatürlichen Seins trennbar sind und trotzdem zu diesem Wert hinzutreten können. Aber das sind Sätze einer rein theoretischen und spekulativen Betrachtungsweise. Wenn nämlich jemand absichtlich und frei jenen – in seiner Würde jeden anderen Wert absolut übertreffenden[4] – Wert der Gnade im strengen Sinn anstrebt, darf er zwar jenen geringeren Wert nicht leugnen oder ausschließen der zu dieser Würde der Gotteskindschaft hinzutritt; er kann sich sogar, als Hilfe und in zweiter Linie, von diesem Wert beim Anstreben jenes sublimsten Wertes helfen lassen[5]. Er kann aber nicht in der praktischen und „existentiellen" Einschützung jenen geringeren Wert als „Ziel an sich" anstreben; es ist ja nicht moglich, mit demselben Akt zwei *fines principales* (Haupt- oder Erstzwecke) zu erreichen; dazu wäre es freventlich, die sich aus der Gnade ergebende Würde des Gebetes geringer zu achten als die Würde, die dem Gebet z. B. aus einer kirchlichen Beauftragung zukommt.

Was über die Würde des Gebetes gesagt wurde, gilt in gleicher Weise von seiner Wirksamkeit, da ja diese an jener ihr Maß findet, wenn wir von einer undurchschaubaren Verfügung

in concreta exauditione precationis reduplicative qua talis [i.e. prout praecise provocat ad liberam misericordiam Dei et non ad modum meriti intercedit apud Deum] absolute liber manet nec ulla obligatione ex parte hominis [aut Ecclesiae] tenetur).

Gottes absehen, durch die er in seinen Gaben und von daher in der konkreten Gebetserhörung reduplikativ als solcher (d. h. insofern das Gebet eben an die freie Barmherzigkeit. Gottes appelliert und nicht nach Art eines Verdienstes vor Gott auftritt) absolut frei bleibt und an keine Verpflichtung gegen den Menschen oder die Kirche gebunden ist.

5. De augmento valoris orationis.

5. Über die Mehrung des Wertes des Gebetes

Cum gratia hominem deificans augmenti sit capax, sublimitas, dignitas, meritum et vis impetratoria orationis pari gradu crescunt cum augmento gratiae. Si igitur (vice versa) dignitas et efficacia orationis augenda est, id nonnisi augmento gratiae sanctificantis obtineri potest.

Da die den Menschen vergöttlichende Gnade einer Vermehrung fähig ist, nehmen Würde, Verdienstlichkeit und Bittkraft des Gebetes in demselben Maß wie die Gnade zu. Wenn also (umgekehrt) Würde und Wirksamkeit des Gebetes gesteigert werden sollen, kann dies nur durch eine Vermehrung der heiligmachenden Gnade erreicht werden. Dies kann – neben Sakramentenempfang und verdienstlichen Werken – auch durch das Gebet selbst erfolgen.

Id tamen praeter alia, quibus hoc augmentum gratiae effici potest (susceptione sacramentorum et quibuscumque operibus meritoriis), etiam oratione ipsa haberi potest.

In assidua et ferventiore oratione mutua causalitate habetur augmentum gratiae et valoris orationis ipsius; actu enim potentia ipsa crescit et potentia crescente ipse actus.

Beim eifrigen und intensiven Gebet stehen Vermehrung der Gnade und des Gebetswertes selbst im Verhältnis einer wechselseitigen Ursächlichkeit; durch den Akt nimmt nämlich die Potenz selbst zu, und wenn die Potenz zunimmt, steigert sich der Akt selbst.

Inter ea auxilia et incitamenta, quibus fervor et intensitas orationis augeri possunt, recenseri potest (suppositis supponendis) etiam conscientia delegationis et obligationis iuridicae ad hanc orationem a parte Hierarchiae ecclesiasticae. Sed mera recitatio Officii Divini per aliquem, qui gratia sanctificante destituitur nec actum internum religionis ponit ex gratia (actuali), nullius est valoris coram Deo, licet forte hac reci-

Unter die Hilfsmittel und Anregungen, durch die sich Eifer und Intensität des Gebetes steigern lassen, kann man auch (suppositis supponendis) das Bewußtsein rechnen, seitens der kirchlichen Hierarchie zu diesem Gebet beauftragt und rechtlich verpflichtet zu sein. Aber die bloße Verrichtung des Breviers durch jemanden, dem die heiligmachende Gnade fehlt, und der

tatione mere externa mandatum Ecclesiae adhuc impleatur et eatenus haec oratio "nomine Ecclesiae" facta dici possit[6].

Si quis adverteret et obiceret mandatum ecclesiasticum Officii Divini postulare eius recitationem ex gratia meritoriam, confirmaret et non negaret ea, quae modo asserta sunt. Insuper oblivioni dari non debet ex praedefinitione formali, qua Deus vult Ecclesiam suam semper etiam subiective sanctam, provenire semper et infallibiliter[h] numerum sufficientem talium, qui orationem ab Ecclesia mandatam de facto in gratia persolvunt, et hinc effectum mandati istius Ecclesiae genere valore etiam coram Deo non destitui.

Sed haec omnia non negant, sêd probant dignitatem orationis ab Ecclesia mandatae ultimatim ex dignitate gratiae provenire nec fontem alium et distinctum habere.

6. De oratione iusti, quatenus haec in Ecclesia et per Ecclesiam fit.

Ista deificatio hominis per gratiam Christi creatam et increatam eoipso importat et quidem eodem gressu et gradu unionem cum Christo capite: sui corporis mystici, quod est Ecclesia.

Ista deificatio et unio cum Christo non sunt nisi duo aspectus inseparabiles eiusdem iustificationis. Unus conceptus simpliciter alteri substitui potest.

keinen inneren Akt der *religio* aus (aktueller) Gnade heraus setzt, besitzt keinen Wert vor Gott, wenn auch vielleicht durch diese bloß äußerliche Rezitation das Gebot der Kirche noch erfüllt wird und so dieses Gebet als „im Namen der Kirche" geschehen bezeichnet werden kann[6]. Sollte jemand einwerfen, der kirchliche Auftrag zum Breviergebet erfordere dessen verdienstliche Verrichtung im Stand der Gnade, würde er unsere Behauptung bestätigen und nicht bestreiten. Dazu darf nicht vergessen werden, daß auf Grund der formalen Prädefinition, mit der Gott seine Kirche immer auch subjektiv heilig will, es immer und überall eine genügende Anzahl von Menschen gibt, die ein von der Kirche aufgetragenes Gebet tatsächlich im Gnadenstand verrichten; und daher wird das Ergebnis jenes Auftrags der Kirche im allgemeinen auch vor Gott bestehen können. Doch dies alles leugnet die Tatsache nicht, sondern beweist sie, daß nämlich die Würde des von der Kirche aufgetragenen Gebetes letztlich aus der Würde der Gnade stammt und keine andere und davon verschiedene Quelle hat.

6. Das Gebet des Gerechtfertigten, insofern es in der Kirche und durch die Kirche geschieht

Jene Vergöttlichung des Menschen durch die geschaffene und ungeschaffene Gnade Christi bringt von selbst – in gleichem Verhältnis und Grad – eine Vereinigung mit Christus als Haupt seines mystischen Leibes mit sich, der die Kirche ist. Die Vergöttlichung und die Einigung mit Christus sind nichts als zwei untrennbare Aspekte derselben Rechtfertigung. Ein

Quapropter quod dictum est de natura et valore orationis supernaturalis, etiam ex unione fidelis orantis cum Christo derivari potest.

Quatenus haec unio per gratiam cum Christo importat unionem cum corpore Christi mystico, quod est Ecclesia, eatenus hic valor orationis sequela dici etiam iure potest unionis orantis cum Ecclesia.

Hic aliqualis exsurgit difficultas, quae, licet magna ex parte sit terminologiae et non rei, spernenda non est, sed sedulo discutienda.

Recentibus Magisterii documentis iubemur identificare[7] (terminologice) corpus Cbristi mysticum et Ecclesiam Catholicam visibilem.

Huic si stamus terminologiae, non possumus nisi illos dicere orantes in et cum "corpore Christi mystico", qui etiam "visibiliter" (i.e. baptismo et externa professione verae fidei et subiectione sub auctoritatibus Ecclesiae) membra sunt Ecclesiae, non vero etiam illos, qui, licet iustificati sint[8] (et insuper forte baptizati), ad visibilem compagem Ecclesiae non pertinent.

Nihilominus etiam tales (iustificati pagani et acatholici christiani baptizati bonae voluntatis, qui propterea iustificati supponi possunt) aliquo vero sensu pertinent ad Ecclesiam. Si enim Nestorianismus ecclesiologicus est intra ambitum conceptus Ecclesiae non recensere nisi illas notas, quae ad socialem et externam structuram Ecclesiae spectant et omittere in concepto isto internam "animationem" Ecclesiae per Spiritum Sanctum, illi non possunt dici

Begriff kann einfach durch den anderen ersetzt werden. Was daher über Natur und Wert des übernatürlichen Gebetes gesagt worden ist, kann auch aus der Vereinigung des betenden Gläubigen mit Christus abgeleitet werden. Insofern diese gnadenhafte Vereinigung mit Christus eine Vereinigung mit dem mystischen Leib Christi einschließt, der die Kirche ist, kann dieser Wert des Gebetes mit Recht eine Folge der Vereinigung des Beters mit der Kirche genannt werden.

Hier erhebt sich eine Schwierigkeit, die, wenn sie auch großteils terminologisch und nicht sachlich ist, doch nicht geringgeschätzt werden darf, sondern sorgfältig geprüft werden muß.

In neueren Äußerungen des Lehramtes werden wir geheißen (terminologisch), den mystischen Leib Christi und die katholische Kirche zu identifizieren[7]. Wenn wir uns an diese Terminologie halten, können wir nur jene Menschen Beter in und mit dem „mystischen Leib Christi" nennen, die auch „sichtbar" (d. h. durch Taufe, äußeres Bekenntnis des wahren Glaubens und Unterwerfung unter die Autorität der Kirche) Mitglieder der Kirche sind, nicht aber jene, die, obwohl sie gerechtfertigt (vielleicht sogar getauft) sind[8], nicht zur sichtbaren Gestalt der Kirche gehören. Nichtsdestoweniger gehören auch solche (gerechtfertigte Heiden und nichtkatholische getaufte Christen guten Willens, die daher als gerechtfertigt betrachtet werden können) in irgendeinem wahren Sinn zur Kirche. Wenn es nämlich ekklesiologischer Nestorianismus ist, innerhalb des Gesamtbegriffs „Kirche" nur jene Merkmale aufzuzählen, die zur sozialen und äußeren Struktur der Kirche gehören, und in jenem Begriff die

simpliciter extra Ecclesiam esse, qui Spiritum hunc huius Ecclesiae possident et proinde illa supernaturali "entelechia" reguntur, quae, si plenam suam vim exercet et effettum plenum obtinet, membra visibilia Ecclesiae visibilis constituit et ita "historice", i.e. in ordine temporis et spatii et societatis humanae manifestat id, quod forte iam antea in cordibus effecerat, unionem scil. cum Christo et eatenus etiam cum corpore eius mystico.

Haec insuper a fortiori valent de illis iustificatis acatholicis, qui baptismum validum et fructuosum receperunt.
Propterea etiam istorum, licet visibilia membra Ecclesiae visibilis non sint simpliciter, oratio (absolute loquendo·, i.e. si oratio mensuratur secundum mensuram ultimam dignitatis et valoris orationis, quae est gratia) eiusdem dignitatis et valoris est quam oratio membrorum simpliciter et strictissime dictorum.
Nam horum oratio summam et decisivam dignitatem obtinet ex illa gratia et illa coniunctione cum Christo et cum eius corpore mystico, quibus etiam illi acatholici iustificati donati sunt, et non praecise ex eorum vinculis iuridicis et externis cum Ecclesia. Hinc nec illis ("extra" Ecclesiam iustificatis) illa dignitas et ille valor orationis abiudicandi sunt, quos catholicorum preci vindicavimus.

Id utique quoad orationem eorum advertatur oportet: si horum interna oratio (de se supernaturalis et ex gratia facta,

innere „Beseelung" der Kirche durch den Heiligen Geist zu übergehen, dann kann man nicht sagen, daß jene einfach schlechthin außerhalb der Kirche sind, die diesen Geist dieser Kirche besitzen und daher von jener übernatürlichen „Entelechie" beherrscht werden, die, wenn sie zu ihrer vollen Answirkung gelangt, sichtbare Mitglieder der sichtbaren Kirche schafft und so „historisch" greifbar, d. h. in der Ordnung von Zeit und Raum und der menschlichen Gesellschaft das sichtbar werden läßt, was sie vielleieht schon vorher in den Herzen bewirkt hatte, nämlich die Vereinigung mit Christus und so auch mit seinem mystischen Leib. Das gilt noch mehr von den gerechtfertigten Nichtkatholiken, die eine gültige und fruchtbare Taufe empfangen haben. Daher besitzt auch ihr Gebet (absolut gesprochen, d. h. wenn man das Gebet nach seinem letzten Maßstab von Würde und Wert beurteilt, der die Gnade ist), obwohl sie nicht einfachhin sichtbare Mitglieder der sichtbaren Kirche sind, dieselbe Würde und denselben Wert wie das Gebet der Mitglieder im strengen Sinn. Denn das Gebet dieser empfängt seine höchste und entscheidende Würde aus jener Gnade und jener Verbindung mit Christus und seinem mystischen Leib, womit auch jene gerechtfertigten Nichtkatholiken beschenkt sind, und gerade nicht aus ihrer juridischen und äußeren Verbindung mit der Kirche. Daher darf man auch den „außerhalb" der Kirche Gerechtfertigten jene Würde und jenen Wert des Gebetes nicht absprechen, den wir dem Gebet der Katholiken zugeschrieben haben. Jedenfalls muß man hinsichtlich ihres Gebetes folgendes beachten: Wenn ihr inneres Gebet (das an sich über-

si talis est) ad extra (immo cultu de se falso) manifesta fit, non reddit, inquantum est supernaturalis, testimonium falsae religionis, sed de se Ecclesiae Catholicae, cuius partialis manifestatio per se est (sicut res se habet quoad baptismum validum et fructuosum extra Ecclesiam et specietenus in secta[i] acatholica collatum).

natürlich ist und aus der Gnade heraus geschieht, wenn es ein solches sein soll) nach außenhin (sogar durch einen an sich falschen Kult) sichtbar wird, legt es, insofern es, übernatürlich ist, nicht für eine falsche Religion Zeugnis ab, sondern im Grunde genommen für die katholische Kirche; genauso wie bei der gültigen und fruchtbaren Taufe, die außerhalb der Kirche und nur dem äußeren Schein nach in einer nichtkatholischen Gemeinschaft als solcher gespendet wird.

Unitas orantis cum Ecclesia visibili qua tali non directe et per se orationi eius sublimiorem valorem supernaturalem confert ultra illum, qui competit omni orationi alicuius in gratia constituti (et ex suppositione eundem gradum gratiae sanctificantis possidentis).

Attamen haec ratio membri Ecclesiae visibilis qua talis multis ex capitibus positive influere potest in valorem orationis. Dubium enim non est, quin Ecclesia visibilis et hierarchica qua talis multis modis conferat ad excitandam et hinc augendam hominis gratiam deificantem: directione, monitis, praeceptis, communi oratione, sacramentis, exemplis Ecclesia visibilis et hierarchica influit in augmentum[j] gratiae (intra et extra ipsam orationem) et hinc hac via in valorem orationis ipsius coram Deo.

Die Einheit des Beters mit der sichtbaren Kirche als solcher vermittelt an sich und direkt seinem Gebet keinen höheren übernatürlichen Wert über jenen hinaus, der jedem Gebet eines Menschen im Gnadenstand zukommt (der *ex supposito* dasselbe Ausmaß heiligmachender Gnade besitzt). Aber die sichtbare Kirchengliedschaft als solche kann aus vielen Gründen den Wert des Gebetes positiv beeinflussen. Es besteht nämlich kein Zweifel darüber, daß die sichtbare und hierarchische Kirche als solche auf viele Weise dazu beiträgt, die vergöttlichende Gnade des Menschen zu vermitteln und zu vermehren: durch Leitung, Ermahnungen, Vorschriften, gemeinsames Gebet, Sakramente, Beispiele beeinflußt die sichtbare und hierarchische Kirche die Erteilung und die Vermehrung der Gnade (innerhalb und außerhalb des Gebetes selbst) und auf diesem Weg den Wert des Gebetes selbst vor Gott.

7. De oratione communiter facta.

7. Über das gemeinsame Gebet

a) Communi oratione fidelium primo ex natura rei actualizatur et expresse visibile redditur aliquid essentiale omnis omnino orationis christianae:

a) Im gemeinsamen Gebet der Gläubigen wird erstens aus der Natur der Sache heraus ein Wesenszug jedes christlichen Gebetes verwirklicht und

necessaria unitas orantis cum Christo et Ecclesia et ita cum omnibus, qui eodem Spiritu Sancto animantur.

Ex hoc capite et ex promissione Christi (Mt. 18, 19f) oratio communis speciali efficacia gaudet. At [nel dattiloscritto *Ast*, ma è evidente errore di battitura], in concreto talis oratio ideo hanc specialem efficaciam habere dicenda est, quia ex sua natura et ex specialibus gratiis actualibus propter Christi promissionem ei collatis apta est, quae fiat (ceteris paribus)[k] maiore cum fervore et hinc maiore ex gratia sanctificante singulorum orantium (mutua illa causalitate inter orationem ut actum gratiae et gratiam ut potentiam huius actus eum mensurantem, de qua supra nr. 5).

Cum ex una parte communitas qua talis non sit subiectum physicum, quod capax est gratiae deificantis[l], cumque ex altera parte valor orationis coram Deo proprie dictus mensuretur sola mensura gratiae sanctificantis et intensitate actualizationis huius gratiae, alia explicatio specialis dignitatis communis orationis non est praesto, nisi quis entia socialia illegitime vellet hypostatizare.

b) Communis oratio fidelium secundo ex alio insuper capite efficaciam specialem ex corpore Christi mystico habere dicenda est.
Deus certe[m] singulos voluntate sua salvifica prosequitur, prout istos eatenus videt, vult et perficit, quatenus sunt membra illius coetus salvandorum, quem Deus praedestinatione aeterna in huius coetus unitate et harmonia, in

ausdrücklich sichtbar gemacht: die notwendige Einheit des Beters mit Christus und der Kirche und so mit allen, die durch denselben Heiligen Geist beseelt werden.

Aus diesem Grund und aus der Verheißung Christi (Mt 18, 19f) besitzt das gemeinsame Gebet eine besondere Wirksamkeit. Konkret gesprochen hat ein solches Gebet deswegen diese besondere Wirksamkeit, weil es aus seiner Natur heraus und wegen der besonderen aktuellen Gnaden, die ihm auf Grund der Verheißung Christi verliehen sind, daraufhin angelegt ist, mit größerem Eifer und daher aus einer vermehrten heiligmachenden Gnade der einzelnen Beter vollzogen zu werden (mit jener wechselseitigen Kausalität zwischen dem Gebet als Akt der Gnade und der Gnade als Potenz, die das Maß dieses Aktes bildet; vgl. n. 5).

Da einerseits die Gemeinschaft als solche kein physisches Subjekt ist, das der heiligmachenden Gnade fähig ist, und da anderseits der eigentliche Wert des Gebetes ausschließlich nach der heiligmachenden Gnade und der Intensität der Verwirklichung dieser Gnade bemessen ist, gibt es keine andere Erklärung der besonderen Würde des Gemeinschaftsgebetes, wenn man nicht Sozialgebilde willkürlich zu Hypostasen machen will.

b) Das gemeinsame Gebet der Gläubigen hat zweitens, aus einem anderen Grund, eine besondere Wirksamkeit vom mystischen Leib Christi her. Gott geht den einzelnen mit seinem Heilswillen nach, indem er sie insofern sieht, will und vollendet, als sie Glieder jener Gemeinde der zu Rettenden sind, die sich Gott in ewiger Vorausbestimmung in der Einheit und

membrorum huius coetus diversitate et mutua necessitudine tamquam regnum aeternum et corpus Christi mysticum (Ecclesiam triumphantem) sibi elegit.

Prout singuli sunt membra huius regni Dei, cuius inchoatio est Ecclesia in terra degens, quodque tamen comprehendit omnes electos, Deus eis etiam gratias actuales (efficaces) pro oratione concedit (iuxta beneplacitum suum utique, quo ipse hoc sibi regnum aeternum in sua varietate disponit).

Hinc unusquisque in sua oratione (quae si fit de facto, semper fit ex gratiis efficacibus) ab omnibus dependet.

Hoc, licet valeat de omni oratione, cum tamen agnoscatur et manifestetur praesertim in oratione communi cumque ex hac praecise ratione Christus huic orationi speciales gratias promiserit, oratio communis fulcitur multis gratiis actualibus ex illo corpore Christi mystico, quod ipsa hac communitate orante actualizatur et manifestatur.

Haec, quae diximus, de omni christifidelium oratione in communi legitime facta valet ex natura rei, non tantum de illa, quae ex speciali mandato Ecclesiae hierarchicae fit.

8. De oratione ut actu Ecclesiae.

In hac quaestione pari diligentia curandum est neve Ecclesia ut societas plurium entium substantialium hypostatizetur, quasi [nel dattiloscritto *acsi*, ma è evidente errore di battitura] esset ens substantiale, neve haec unitas spernatur, quasi (*acsi*) haec non esset ens vere

Harmonie dieser Gemeinschaft, in der Verschiedenheit und wechselseitigen Abhängigkeit ihrer Glieder als ewiges Reich und mystischen Leib Christi (= als triumphierende Kirche) erwählt hat.

Insoweit diese Einzelnen Mitglieder dieses Reiches Gottes sind, dessen Anfang die auf Erden pilgernde Kirche ist und das dennoch alle Auserwählten umfaßt, gewährt ihnen Gott auch aktuelle (wirksame) Gnaden für das Gebet (natürlich nach seinem Wohlgefallen, womit er selbst dieses ewige Reich in seiner Vielfältigkeit begründet). Daher hängt jeder einzelne in seinem Gebet (das, wenn es geschieht, immer auf Grund wirksamer Gnaden vollzogen wird) von allen ab. Das gilt zwar von jedem Gebet. Weil aber diese Abhängigkeit vor allem erkennbar und offenkundig wird beim gemeinsamen Gebet und weil gerade aus diesem Grund Christus diesem Gebet besondere Gnaden verhieß, erhält das gemeinsame Gebet viele Gnaden aus dem mystischen Leib Christi, der durch die betende Gemeinschaft selbst verwirklicht und offenbar wird.

Was wir sagten, gilt von jedem Gebet der Christgläubigen, das sich gemeinsam in legitimer Weise vollzieht, aus der Natur der Sache heraus, und gilt nicht nur von jenem Gebet, das im besonderen Auftrag der hierarchischen Kirche geschieht.

8. Über das Gebet als Akt der Kirche

In dieser Frage ist zweierlei mit gleicher Sorgfalt zu vermeiden: einmal, daß die Kirche als Gemeinschaft vieler substantieller Wesen selbst hypostasiert wird, als ob sie selbst ein substantielles Seiendes wäre, und zum anderen, daß diese Einheit der Kirche

reale (fundatum multiplici modo, multis et variis scilicet vinculis, quibus haec supernaturalis societas fundatur)[n], sed mera fictio mentis.

a) Sermo de actu Ecclesiae aliquo pluribus sensibus esse potest:

α) Potest dici actus Ecclesiae iure ille actus alicuius, quo iste in Ecclesia visibili exercet aut potestatem iurisdictionis aut potestatem ordinis (conferendi sacramenta)[o].

Quo maior est respectiva potestas, quo absolutiore modo ea exercetur, eo magis talis actus ex hac potestate, aut iurisdictionis aut ordinis promanans actus Ecclesiae ipsius dici potest. Iste actus formaliter qua talis non provenit ex ipsa gratia sanctificante, quippe cum etiam a peccatore potestatem in Ecclesia habente poni possit. Talis actus est actus Ecclesiae qua visibiliter et hierarchice constitutae. Licet enim physice sit actus singularis hominis, cum is actum ponat prout pertinet ad subiecta talis potestatis Ecclesiae a Christo concessae, iure actus eius actus Ecclesiae ipsius dicitur.

Inde etiam, quasi derivando, dici actus Ecclesiae aliquo, etsi secundario sensu possunt illi actus, qui ponuntur a simplici membro Ecclesiae, prout istud exsequitur mandatum[p] Hierarchiae ecclesiasticae.

Nam tali mandato Ecclesia quodammodo fit auctrix talis actus, qui hinc Ecclesiae ipsi aliquatenus imputari potest.

β) Iamvero non tantum actus alicuius, qui talem potestatem in Ecclesia habet, actus Ecclesiae dici potest.

und ihrer Glieder geringgeschätzt wird, als ob diese eine Kirche keine wirkliche Realität wäre, sondern eine bloße Fiktion.

a) Von einem Akt der Kirche kann in mehrfacher Hinsicht die Rede sein.

α) Akt der Kirche kann man mit Recht jenen Akt eines Menschen nennen, mit dem dieser in der sichtbaren Kirche entweder die *potestas iurisdictionis* oder die *potestas ordinis* ausübt.

Je größer die entsprechende Gewalt ist, je absoluter sie ausgeübt wird, um so mehr kann dieser aus der *potestas iurisdictionis* oder *ordinis* erfließende Akt ein Akt der Kirche selbst genannt werden. Dieser Akt geht formal als solcher nicht aus der heiligmachenden Gnade hervor, da ihn auch ein Sünder, der diese Gewalt in der Kirche besitzt, setzen kann. Ein solcher Akt ist Akt der Kirche als sichtbar und hierarchisch verfaßter. Denn wenn er auch physisch der Akt eines einzelnen Menschen ist, wird sein Akt mit Recht Akt der Kirche selbst genannt, weil er diesen Akt setzt, insofern er zu den Trägern der Gewalten gehört, die Christus seiner Kirche als solcher verliehen hat.

Davon gleichsam abgeleitet kann man sekundär auch jene Akte solche der Kirche nennen, die von einem einfachen Kirchenglied gesetzt werden, insofern dieses einen Auftrag der kirchlichen Hierarchie ausführt.

Die Kirche wird nämlich durch einen solchen Auftrag und Befehl irgendwie die Urheberin dieses Aktes, der daher in etwa der Kirche selbst zugeschrieben werden kann.

β) Aber nicht nur der Akt eines Menschen, der eine solche sakramentale oder hoheitliche Gewalt in der

Omnis actus salutaris alicuius membri Ecclesiae vero aliquo sensu actus Ecclesiae vocari potest; proveni enim ex illa gratia, quae semper habet characterem ecclesialem, cedit in bonum totius mystici corporis Christi, constituit (ex sua, etsi forte modesta, parte) Ecclesiam visibilem illud signum elevatum in nationes[q], quo Ecclesia est divini sui originis ipsum testimonium.

Nam omnis actus salutaris suo modo est contributio ad illam inexhaustam sanctitatem et fecunditatem in omnibus bonis[9], quibus Ecclesia fit illud signum.
In hac enim Vaticani I. declaratione luculenter elucet Ecclesiam omnia merita supernaturalia singulorum Christianorum sibi vindicare ut testimonia sanctitatis Ecclesiae ipsius. Idem elucet ex doctrina de: "thesauro Ecclesiae" qui dicitur (D 550-552; 740a; 757; 1541) et constituitur reapse meritis et satisfactionibus Christi et omnium iustorum.
Si enim isti actus non essent aliquo vero sensu actus ipsius Ecclesiae, eorum omnium valor meritorius et satisfactorius non posset constituere "thesaurum", de quo ipsa, posset disponere, cum certe de facto in hac parte non disponat de re aliena, sed de sua.
Negari itaque nequit omnes istos actus Christianorum in gratia factos vero aliquo sensu actus corporis Christi mystici esse et dici debere.

Membra enim Ecclesiae ut corporis Christi mystici non sunt tantum rectores Ecclesiae, sed omnes Christiani. Cum autem actus membrorum aeque

Kirche hat, kann Akt der Kirche genannt werden. Jeden Heilsakt irgendeines Kirchengliedes kann man in einem wahren Sinn Akt der Kirche heißen; er entstammt nämlich der Gnade, die immer kirchlichen Charakter trägt, er wirkt sich positiv auf den ganzen mystischen Leib Christi aus und macht (mit seinem, wenn auch bescheidenen Beitrag) die sichtbare Kirche zu jenem über den Völkern aufgerichteten Zeichen (D 1794), als welches die Kirche selbst auch das Zeugnis ihres göttlichen Ursprungs ist. Denn jeder Heilsakt ist auf seine Weise ein Beitrag zu jener unerschöpflichen Heiligkeit und Fruchtbarkeit in allem Guten[9], wodurch die Kirche jenes Zeichen wird. Aus dieser Erklärung des ersten Vaticanums geht klar hervor, daß sich die Kirche alle übernatürlichen Verdienste der einzelnen Christen als Zeugnisse der Heiligkeit der Kirche selbst zuschreibt. Dasselbe ergibt sich aus der Lehre vom sogenannten „Kirchenschatz" (D 550-552; 740a; 757; 1541), der durch die Verdienste und Genugtuungen Christi und aller Gerechten gebildet wird. Wären nämlich jene Akte nicht in einem wahren Sinn Akte der Kirche, könnte der verdienstliche und genugtuende Wert von ihnen allen nicht einen „Schatz" konstituieren, über den sie selbst verfügen könnte, da sie doch in dieser Angelegenheit nicht über eine fremde, sondern über ihre eigene Sache verfügt. Deshalb müssen unleugbar alle im Gnadenstand geschehenen Akte der Christen in einem wahren Sinn Akte des mystischen Leibes Christi sein und heißen. Denn Glieder der Kirche als des mystischen Leibes Christi sind nicht nur die Leiter der Kirche, sondern alle Christen. Da aber die Akte der

principaliter sint actus ipsius corporis cumque alii actus membrorum corporis mystici in genere non habeantur nisi bona opera et orationes fidelium, haec actus corporis mystici iure dicuntur.

Et cum corpus Christi et Ecclesia idem significent, isti actus fidelium in gratia meritorii actus <u>Ecclesiae</u> ipsius habendi sunt.

Id a fortiori valet de illis actibus, qui explicite prae se ferunt indolem aliquam socialem. Attamen talis differentia inter actus nonnisi "privatos" et explicite "sociales" non est essentialis. In regno enim Dei non est actus qui coram Deo simpliciter sit "privatus" et "individualisticus". Si res non ita se haberet, Ecclesia aut identificaretur cum Hierarchia, cum tamen etiam laici sint membra Ecclesiae et non tantum obiectum curae pastoralis cleri, aut abiudicaretur huic Ecclesiae, quae et quatenus etiam ex laicis constat, omnis actus. Quod utrumque prorsus falsum est.

γ) Si hae duae classes actuum Ecclesiae sub α) et β) recensitorum inter se comparantur, haec dicenda sunt: actus Hierarchiae (cleri) variis modis, sed totaliter ordinantur ad illos actus excitandos, dirigendos, intensificandos, qui a membris Ecclesiae ex gratia Christi deificante ponuntur.

Ponuntur isti actus "hierarchici" quidem nomine Ecclesiae (et Christi), sed ad hoc, ut supernaturalis in eius membris vita Christi custodiatur et foveatur.

Id facile elucet ex sacramentis: administratio sacramentorum sine dubio

Glieder grundsätzlich Akte des Leibes selbst sind und es im allgemeinen keine anderen Akte der Glieder des mystischen Leibes gibt außer den guten Werken und Gebeten der Gläubigen, heißen diese mit Recht Akte des mystischen Leibes. Und weil Leib Christi und Kirche dasselbe bedeuten, haben die verdienstlichen Akte der Gläubigen im Gnadenstand als Akte der <u>Kirche</u> selbst zu gelten. Das gilt *a fortiori* von jenen Akten, die ausdrücklich eine soziale Beschaffenheit aufweisen. Aber eine solche Unterscheidung zwischen nur „privaten" und ausdrücklich „sozialen" Akten ist nicht wesentlich. Im Reich Gottes gibt es nämlich keinen Akt, der vor Gott einfachhin „privat" oder bloß „individuell" ist. Wenn sich die Sache nicht so verhielte, würde die Kirche entweder mit der Hierarchie gleichgesetzt, – während in Wirklichkeit auch die Laien Glieder der Kirche und nicht nur Objekte der Hirtensorge des Klerus sind, – oder dieser Kirche würde, soweit sie auch aus Laien besteht, jeder Akt abgesprochen. Beides aber ist falsch.

γ) Vergleicht man die beiden unter α) und β) aufgezählten Arten von Akten der Kirche miteinander, ist folgendes zu sagen: die Akte der Hierarchie (des Klerus) sind in verschiedener Weise, aber ganz darauf hingeordnet, jene Akte hervorzurufen, zu leiten und zu intensivieren, die von Gliedern der Kirche aus der vergöttlichenden Gnade Christi gesetzt werden. Jene „hierarchischen" Akte werden zwar im Namen der Kirche (und Christi) gesetzt, aber zu dem Zweck, daß das übernatürliche Leben Christi in den Gliedern der Kirche bewahrt und gefördert wird. Das wird am deutlichsten an den

maxime eminet inter actus, qui ab Ecclesiae Hierarchia nomine Ecclesiae et Christi ut actus huius Ecclesiae ponuntur.

Sed tota haec administratio sacramentorum non attingit suum finem nisi in fide et caritate omnium membrorum Ecclesiae, quibus his sacramentis gratia pro hac vita divina eorum administratur.

Quod spectat valorem utriusque actus (α et β), si isti inter se comparantur, recolatur oportet id, quod iam supra dictum est (nr. 4).

b) Hinc dici debet:

α) omnis <u>oratio</u> supernaturalis ex gratia Christi et hinc in corpore eius mystico facta (etiamsi externa specie sit "privata") iure dicenda est actus Ecclesiae. Non requiritur ad hoc, ut haec oratio sit explicite et in concreto ab Hierarchia Ecclesiae mandata. Sicut Ecclesia omnes sanctas actiones et passiones suorum membrorum (christifidelium) tamquam sibi imputandas et tamquam manifestationes propriae sanctitatis et fertilitatis declarat, ita idem in specie de oratione fidelium dicendum est.

β) Idem (maiore gradu, non specie diversa) a fortiori de oratione <u>communi</u> fidelium dici debet, etiam de illa, quae iuxta strictissimum conceptum liturgiae hodie usitatum[10] "liturgica" dici nequit. In omni hac oratione communi enim visibiliter apparet id, quod ad essentiam omnis orationis pertinet, eam scilicet fieri ex gratia corporis Christi mystici; in ea efficaciter ex natura rei augeri et crescere radicem huius oratio-

Sakramenten: die Spendung der Sakramente ragt ohne Zweifel am meisten unter den Akten hervor, die von der Hierarchie der Kirche im Namen der Kirche und Christi als Akte dieser Hierarchie der Kirche gesetzt werden. Aber diese ganze Sakramentenspendung erreicht ihr Ziel nur im Glauben und der Liebe der einzelnen Glieder der Kirche, denen durch diese Sakramente die Gngade für dieses ihr göttliches Leben gespendet wird.

Hinsichtlich des Wertes beider Akte (α und β) je in sich und im Vergleich untereinander ist an das zu erinnern, was schon oben gesagt wurde.

b) Daher ist zu sagen:

α) Jedes übernatürliche <u>Gebet</u>, das aus der Gnade Christi und daher in seinem mystischen Leib geschieht (auch wenn es nach außen hin als „privat" erscheint), kann mit Recht ein Akt der Kirche genannt werden. Dazu ist nicht erforderlich, daß dieses Gebet ausdrücklich und konkret von der kirchlichen Hierarchie aufgetragen werde. Wie die Kirche erklärt, alles heilige Tun und Leiden ihrer (christgläubigen) Glieder sei ihr selbst zuzuschreiben und sei Kundmachung ihrer eigenen Heiligkeit und Fruchtbarkeit, so ist dasselbe im besonderen vom Gebet der Gläubigen zu sagen.

β) Dasselbe (in höherem Maß, nicht in spezifisch anderer Art) ist *a fortiori* vom <u>gemeinsamen</u> Gebet der Gläubigen zu sagen, auch von jenem, das man nach dem heute gebräuchlichen strengsten Liturgiebegriff nicht „liturgisch" nennen darf[10]. In jedem solchen gemeinsamen Gebet erscheint nämlich sichtbar das, was zum Wesen jeden Gebetes gehört: daß es aus der Gnade des mystischen Leibes heraus ge-

nis, coniunctionem scil. orantis cum Christo et Ecclesia ex gratia Christi; communem fructum huius orationis coniunctionem cum Christo et Ecclesia augentis necessario etiam toti Ecclesiae accrescere.

Iure merito igitur haec communis oratio habetur actus Ecclesiae in utilitatem Ecclesiae. Cum id ex rei natura proveniat, opus ad hoc non est, ut haec communis oratio (utique legitimo modo facta) mandetur explicite ab Ecclesiae Hierarchia.
Si ergo (qua de re hic nobis non est agendum) liturgia non vocatur nisi ille cultus Dei[11] communis fidelium, qui explicite a summa Ecclesiae auctoritate mandatur et sacra lege ordinatur, simpliciter asserere licet etiam orationem communem fidelium "extraliturgicam" actum Ecclesiae dici et posse et debere.

Huic actui Ecclesiae mandatum liturgicum Ecclesiae explicitum non addit sublimiorem coram Deo dignitatem, cum maior non esse possit illa, quam Spiritus Sanctus suis inenarrabilibus gemitibus tribuit orationi.
Sed explicitum mandatum Ecclesiae in Liturgiae ordinatione praecise tendit ultimatim in hoc, ut illa oratio fidelium communis de facto fiat et digne et crebro fiat.
Oratio liturgica igitur non est per se maior et intensior actus Ecclesiae, prout Ecclesia est corpus Christi Spiritu Sancto animatum, sed est insuper actus Ecclesiae, prout est societas visibiliter et hierarchice ordinata, quippe

schieht; daß in ihm, aus der Natur der Sache heraus wirksam, der eigentliche Grund dieses Gebetes erstarkt und wächst, nämlich die Verbindung des Beters mit Christus und der Kirche aus der Gnade Christi heraus; daß die gemeinsame Frucht dieses Gebetes, das die Verbindung mit Christus und der Kirche stärkt, notwendig auch der ganzen Kirche zugute kommt. Mit Recht gilt also dieses gemeinsame Gebet als Akt der Kirche zum Nutzen der Kirche. Da sich dies aus der Natur der Sache ergibt, ist dazu nicht nötig, daß dieses gemeinsame (und zwar legitim geschehene) Gebet ausdrücklich von der kirchlichen Hierarchie aufgetragen wird. Wenn also (über diese Sache brauchen wir hier nicht zu sprechen) Liturgie nur jene gemeinsame Gottesverehrung der Gläubigen genannt wird[11], die ausdrücklich von der höchsten Autorität angeordnet und gesetzlich geregelt wird, darf man schlicht behaupten, daß auch das „außerliturgische" gemeinsame Gebet der Gläubigen Akt der Kirche heißen kann und muß.

Diesem Akt der Kirche fügt ein ausdrücklicher liturgischer Auftrag der Kirche keine höhere Würde vor Gott hinzu, da es keine größere gibt als jene, die der Hl. Geist mit seinen unaussprechlichen Seufzern dem Gebet verleiht. Der ausdrückliche Auftrag der Kirche zielt bei der Regelung der Liturgie ja letztlich gerade daraufhin ab, daß jenes gemeinsame Gebet der Gläubigen tatsächlich und würdig und häufig geschehe. Das liturgische Gebet ist also nicht ein an sich größerer und intensiverer Akt der Kirche als solcher, insofern die Kirche der vom Hl. Geist durchseelte Leib Christi ist, sondern ist darüber hinaus ein Akt der Kirche,

cum actus subditi, qui fit ex mandato auctoritatis societatis alicuius, iure etiam huic auctoritati et ita societati, quae hac auctoritate constituitur, imputetur et eius sit.

Inde non negatur, sed affirmatur illos actus membrorum alicuius societatis, qui legitime non possunt fieri nisi sub explicito ductu et imperio auctoritatis huius societatis (v.gr. Missae Sacrificium ut actus supremus Cultus Ecclesiae totius), necessario regi legibus respectivae societatis, v.gr. legibus Ecclesiae et eius Supremae auctoritatis liturgicis.

Attamen etiam in hoc casu habetur duplex ratio, propter quam iste cultus dici potest actus Ecclesiae ipsius: suprema, intima et sublimissima ratio est in eo, quod Missae Sacrificium celebratur (duce utique sacerdote) a christifidelibus, qui gratia Christi in uno corpore Christi uniti sunt et hac ex unione Christi sacrificium ut proprium offerunt; altera externa et subsidiaria consistit in explicita authorizatione liturgica (in hoc casu necessaria) a parte regiminis Ecclesiae.

Illa ratio respicit invisibilem unionem omnium in gratia (quae unio etiam pertinet ad elementa constitutiva Ecclesiae ipsius!); haec respicit externam et "visibilem" (socialem) unitatem fidelium. Haec se habet ad illam sicut signum sacramentale, ad rem (gratiam) sacramenti.

insofern sie eine sichtbar und hierarchisch geordnete Gemeinschaft ist; der Akt des Untergebenen, der im Auftrag irgendeiner gesellschaftlichen Autorität geschieht, wird ja mit Recht auch dieser Autorität und so der Gesellschaft, die sich auf diese Autorität gründet, zugeschrieben und wird ihr Akt. Das bestreitet nicht, sondern bestätigt, daß jene Akte der Mitglieder einer Gesellschaft, die sich legitim nur unter der ausdrücklichen Führung und Leitung einer Gesellschaftsautorität vollziehen können (z. B. das Meßopfer als höchster Kultakt der ganzen Kirche), notwendig durch Gesetze der entsprechenden Gesellschaft geregelt werden, z. B. durch die liturgischen Gesetze der Kirche und ihrer höchsten Autorität. Aber auch in diesem Fall gibt es einen doppelten Grund, warum man diesen Kult Akt der Kirche selbst nennen kann: der letzte, tiefste und sublimste Grund liegt darin, daß das Meßopfer (natürlich unter der notwendigen Führung des Priesters[11a]) von Gläubigen gefeiert wird, die durch die Gnade Christi im einen Leib Christi geeint sind und aus dieser Vereinigung heraus das Opfer Christi als ihr eigenes darbringen; der andere, äußerliche und zweitrangige Grund besteht in der ausdrücklichen (in diesem Fall notwendigen) liturgischen Bevollmächtigung seitens der kirchlichen Obrigkeit. Der erste Grund geht zurück auf die unsichtbare Einheit aller in der Gnade (welche Einheit auch zu den konstituierenden Elementen der Kirche selbst gehört); der zweite sieht auf die äußere und „sichtbare" (soziale) Einheit der Gläubigen. Dieser verhält sich zu jenem wie das sakramentale Zeichen (*sacramentum*) zur sakramentalen Gnade (*res sacramenti*).

Insuper: si Ecclesia ipsa suo mandato et suis legibus liturgicis mandat et ordinat certas orationes, istae certius, quam orationes, quae dicuntur "privatae", etiam in sua "obiectivitate" (i.e. prout praescinditur a subiectiva bona intentione orantis) tamquam "obiective" Deo placentes sciuntur.

Sicut v.gr. Ritus sacramentalis, si indigne ponitur et indigne suscipitur, manet valida obiectiva promissio gratiae a parte Dei, sic actus externus orationis ab Ecclesia ordinatae manet obiective legitimus et ut talis scitur, quod de oratione privata nec in sua obiectivitate sola considerata eadem certitudine dici potest.

Sed ista obiectiva legitimitas tota quanta ordinatur in actum subiectivum vere ("interne") orantis ex gratia Dei et nonnisi in tali oratione "in spiritu et veritate" suum finem obtinet.

Ista obiectiva bonitas orationis presse liturgicae mere qua talis numquam supplere potest illam bonitatem orationis, quam Deus ultimatim intendit, quae scil. ex corde puro et humili ascendit, nec pro se sola legitimum finem actus humani constituit.

Scimus quidem Ecclesiae Magisterium recens pluries vindicasse orationi liturgicae prae oratione privata "maiorem vim virtutemque" (AAS 28 [1936] 19: Pius XI in Encyclica "Ad catholici sacerdotii")[r] et edicere: "Liturgica precatio, cum publica sit inclitae Iesu Christi Sponsae supplicatio, privatis precibus potiore excellentia praestat" (AAS 39 [1947] 537: Pius XII in Encyclica

---

Weiters: wenn die Kirche selbst durch ihren Auftrag und ihre Gesetze gewisse Gebete befiehlt und ordnet, weiß man von diesen sicherer als bei sogenannten „Privat" gebeten, daß sie auch in ihrer „Objektivität" (d. h. insofern wenn man von der subjektiven guten Absicht des Beters absieht) „objektiv" Gott gefallen. Wie z. B. ein unwürdig gesetzter oder empfangener sakramentaler Ritus eine gültige objektive Verheißung der Gnade seitens Gottes bleibt, so bleibt der äußere Akt des von der Kirche geordneten Gebetes objektiv legitim und wird als solcher gewußt, was man vom Privatgebet auch dann nicht mit derselben Sicherheit behaupten kann, wenn man es allem in seiner Objektivität betrachtet. Aber diese objektive Legitimität ist als ganze auf den subjektiven Akt des wahrhaft („innerlich") aus der Gnade Gottes Betenden hingeordnet und erreicht nur in einem solchen Gebet „in Geist und Wahrheit" ihr eigentliches Ziel.

Diese objektive Wertigkeit des streng liturgischen Gebetes kann rein als solche niemals jenen Wert des Gebetes ersetzen, den Gott letztlich beabsichtigt, den nämlich, der aus einem reinen und demütigen Herzen herkommt. Diese objektive Wertigkeit bildet für sich allein genommen kein legitimes Ziel eines menschlichen Aktes.

Zwar wissen wir, daß das Lehramt der Kirche in jüngster Zeit mehrmals dem liturgischen Gebet „eine größere Kraft und Gewalt[12]" als dem Privatgebet zugeschrieben und gesagt hat: „weil das liturgische Gebet ein öffentliches Flehen der hehren Braut Jesu Christi ist, übertrifft es die Privatgebete an Vortrefflichkeit[13]". Das wird durch unsere Behauptungen nicht bestritten.

"Mediator Dei")[s]. Id his, quae diximus, non negatur.

Iam supra (nr. 3, 4, 8) monuimus duplicem valorem orationis distingui posse. Attendendum insuper est comparationem inter "privatam" et "liturgicam" orationem a Magisterio institutam respicere illam orationem "liturgicam", quae de facto funditur a membris Ecclesiae gratia donatis, i.e. orationem liturgicam, quae <u>illum etiam</u> valorem sublimissimum possidet, quam orationi ex gratia supernaturali vindicavimus Huic orationi liturgicae et <u>simul</u> vere supernaturali iure potior dignitas adscribitur prae illa oratione, quae, cum sit "privata", illo valore non gaudet, qui liturgicae precationi ex mandato et lege liturgica Ecclesiae accrescit.

Attamen hic valor liturgicae orationi <u>superadditus</u>, si in se solo ut talis consideratur, incomparabiliter minor est valore, qui convenit orationi quae et quatenus fit in Spiritu Sancto.

Insuper iam monuimus (cf. nr. 3 et 4) vim et efficaciam "existentialem" (si ita dicere licet) huius delegationis ecclesiasticae qua talis in oratione non esse exaggerandam. Si quis enim orat in Spiritu Sancto, orat ex caritatis motivo, i.e. propter Dei bonitatem in se ipsa amandam, sese totum refert ad Dei gloriam, sistitur coram infinita Dei maiestate.

Haec quidem omnia fiunt in actu ipso orantis et simul fines et motiva huius orationis necessario ordinantis et quasi "hierarchizantis", prout orans in <u>omni</u> oratione, non tantum in oratione "litur-

Schon oben wurde darauf hingewiesen, daß man einen zweifachen Wert des Gebetes unterscheiden kann. Außerdem ist zu beachten, daß der vom Lehramt angestellte Vergleich zwischen „privatem" und „liturgischem" Gebet jenes „liturgische" Gebet meint, das faktisch von Gliedern im Gnadenstand verrichtet wird; das heißt aber ein liturgisches Gebet, das auch jenen sublimsten Wert besitzt, den wir dem Gebet aus übernatürlicher Gnade zugeschrieben haben. Diesem, zugleich übernatürlichen und liturgischen Gebet wird mit Recht eine größere Würde als dem privaten zugesprochen, das als „privates" nicht auch jenen Wert hat, der dem liturgischen Gebet vom Auftrag und von dem liturgischen Gesetz der Kirche her zukommt.

Aber dieser dem liturgischen Gebet <u>hinzugefügte</u> Wert ist, als solcher allein betrachtet, unvergleichlich geringer als der Wert, der dem Gebet zukommt, das und insofern es im Heiligen Geist geschieht.

Schon oben wurde betont, die „existentielle" (wenn man so sagen darf) Kraft und Wirksamkeit dieser kirchlichen Delegierung als solcher dürfe beim Gebet nicht überschätzt werden. Wenn nämlich jemand im Heiligen Geist betet, betet er aus dem Motiv der Liebe heraus, d. h. wegen der in sich selbst liebenswerten Güte Gottes, und stellt sich ganz auf die Verherrlichung Gottes ein und stellt sich vor die unendliche Majestät Gottes selbst.

Alles das geschieht in jedem Akt dessen, der betet und darum auch die Zielrichtung und die Motive dieses Gebetes notwendig ordnet und gleichsam „hierarchisiert", weil der Beter in

gica", est membrum Ecclesiae, quippe cum nonnisi ut tale accedere liceat ad thronum gratiae; sed valor iuridicae deputationis a parte Ecclesiae in hac copia finium et motivorum orationis supernaturalis, quae copia oranti necessario praesto est, absolute inferior et secundarius dici debet, si comparatur cum ultima ratione orationem dignificante, quae est Spiritus Sanctus ipse iustificato communicatus et in oratione eius coram Deo intercedens.

jedem Gebet, und nicht nur im liturgischen, Glied der Kirche ist, da er ja nur als solches Glied zum Thron der Gnade hintreten darf. Der Wert der juridischen Beauftragung seitens der Kirche muß daher in dieser Fülle der Zwecke und Motive des übernatürlichen Gebetes, die dem Beter notwendig in irgendeiner Stufe der Bewußtheit gegeben ist, absolut untergeordnet und sekundär genannt werden, wenn er mit dem letzten Grund verglichen wird, der dem Gebet seine Würde verleiht, nämlich mit dem Heiligen Geist selbst, der den Gerechtfertigten geschenkt ist und in seinem Gebet vor Gott für ihn eintritt.

9. De termine: "opus operantis Ecclesiae", quatenus ad orationem applicatur.

9. Über den Begriff ‚opus operantis Ecclesiae', insofern er auf das Gebet angewandt wird

Ex his, quae hucusque dicta sunt, etiam intelligi potest, quid sit reapse illud, quod in nostro contextu saepe dicunt[12] "opus operantis Ecclesiae", quodque solum fieri dicitur in oratione facta iuxta liturgicam legem, quae ab Ecclesia fertur.

a) Illa oratio (primo) potest dici opus operantis Ecclesiae, quae et quatenus iussu et iuxta normas Ecclesiae hierarchicae fit, etiamsi, facta a peccatore impaenitenti, omni vi meritoria et valore Deum formaliter glorificante destituatur.

Aus dem bis jetzt Gesagten wird auch verständlich, was man sich richtig unter dem *opus operantis Ecclesiae* zu denken hat, von dem man sagt, daß es allein in dem Gebet gegeben ist, das entsprechend dem von der Kirche gegebenen liturgischen Gesetz geschieht[14].

a) Jenes Gebet kann (erstens) *opus operantis Ecclesiae* genannt werden, das und insofern es auf Befehl und nach den liturgischen Normen der hierarchischen Kirche geschieht, obwohl es, wenn es von einem unbußfertigen Sünder geschieht, keine verdienstliche Kraft und keinen Gott formal verherrlichenden Wert besitzt.

Haec tamen oratio ut talis nullius valoris de novo accedentis est coram Deo, licet sensu modo dicto sit opus operantis Ecclesiae.

Dieses Gebet als solches hat vor Gott keinen Wert, der neu zu dem Wert formaler Verherrlichung Gottes hinzukäme, der in der Kirche als notwendig heiliger schon immer gegeben ist, wenn es auch im eben genannten Sinn *opus operantis Ecclesiae* ist.

Potest quidem etiam talis oratio signum obiectivum esse et manere (et praesertim eatenus dici opus operantis Ecclesiae) illius perpetuae intercessionis et supplicationis, qua Ecclesia semper in suis iustis et sanctis oratione in gratia facta et meritoria pro omnibus membris suis intercedit, ad quam intercessionem et supplicationem omnia Ecclesiae membra etiam privata oratione semper provocare possunt.

Sed istud signum qua tale non auget vim huius continuae supplicationis, sicut fieret, si haec oratio (v. gr. sacerdotis)ᵗ fieret a iustificato.

Haec supplicatio Ecclesiae ex Dei praedefinitione et gratia efficaci divina semper existens semper praesto est illi (rite disposito), pro quo talis oratio impii sacerdotis (v.gr. benedictionem aliquam ex Rituali sine ulla devotione recitantis) fit, sed haec vis supplicationis Ecclesiae non est ex hac orationis recitatione huius impii sacerdotis.

Si et inquantum hoc obiectivo signo ipso huius perpetuae et indefectibilis supplicationis Ecclesiae (quae nullatenus solis orationibus presse liturgicis fit) aliquis, cui v.gr. Sacramentale ab impio sacerdote applicatur, de facto ad maiorem, quam antea, devotionem et hinc dispositionem movetur (quod utique accidere facile potest), is ex hac indefectibili supplicatione Ecclesiae, ad quam saltem implicite per tale Sacramentale receptum provocat, maiorem fructum fert, quam si v.gr. sola privata oratione coram Deo ad hanc intercessionem Ecclesiae provocasset,

Es kann zwar auch ein solches Gebet objektives Zeichen jenes dauernden Eintretens und Fürbittens sein und bleiben (und gerade so *opus operantis Ecclesiae* genannt werden), mit dem die Kirche in ihren Gerechten und Heiligen immer durch das im Gnadenstand verrichtete, verdienstliche Gebet für alle ihre Glieder eintritt; auf dieses Eintreten und Fürbitten können sich alle Glieder der Kirche auch im Privatgebet immer berufen. Aber dieses Zeichen als solches vermehrt nicht die Macht dieses ununterbrochenen Bittgebetes, wie es geschehen würde, wenn dieses amtlich-liturgische Gebet von einem Gerechtfertigten verrichtet würde. Jene Fürbitte der Kirche, die auf Grund göttlicher Prädefinition und göttlicher wirksamer Gnade in der Kirche immer gegeben ist, steht immer jedem (recht Disponierten) zur Verfügung, für den ein solches Gebet eines gnadenlosen oder bei seinem Tun religiös gänzlich unbeteiligten Priesters (der z. B. einen Segen aus dem Rituale ohne irgendwelche Andacht rezitiert) verrichtet wird, aber diese Fürbittkraft der Kirche stammt nicht aus dieser Gebetsverrichtung dieses unfrommen Priesters. Wenn und insofern jemand, dem Z. B. ein Sakramentale von einem solchen Priester gespendet wird, durch dieses objektive Zeichen dieser dauernden und unfehlbaren Fürbitte der Kirche (die keineswegs nur durch streng liturgische Gebete geschieht) faktisch zu einer größeren Andacht als vorher und daher zu größerer Disposition eranlaßt wird (was leicht geschehen kann), dann trägt dieser aus der unfehlbaren Fürbitte der Kirche, auf die er sich mindestens einschlußweise durch ein so empfangenes Sakramentale beruft, größeren Nutzen

licet etiam hoc, uti diximus, ei semper permittatur et fructuosum sit.

Si quis his "orationibus" ut "operi operantis Ecclesiae" factis independenter a devotione illius qui eas recitat et illius, pro quo funduntur, efficaciam aliquam adscribit, de facto (etsi forte non verbis) asserit "opus operatum"[13] (immo plus quam sacramentum[14])ᵘ, quod utrumque est falsum.

davon, als wenn er sich z. B. nur im Privatgebet vor Gott auf diese Fürbitte der Kirche berufen hätte, obwohl auch das, wie gesagt, ihm immer offensteht und wirksam ist. Wenn jemand diesen als *opus operantis Ecclesiae* geschehenen Gebeten unabhängig von der Andacht des Beters und dessen, für den sie verrichtet werden, irgendeine Wirksamkeit zuschreibt, behauptet er faktisch (wenn auch vielleicht nicht mit Worten) ein *opus operatum*[15], ja eigentlich sogar mehr als ein Sakrament[16] (weil er eine Gnadenwirkung ohne jede vorausgesetzte Disposition behauptet, also im Grunde „magisch" denkt), was beides falsch ist.

b) Oratio, dummodo fiat in gratia, (secundo) potest dici "opus operantis Ecclesiae", quatenus (licet a nobis id pro concreta aliqua oratione determinari non possit) haec oratio (quae semper – saltem implicite – supplicat pro omnibus in Ecclesia) procedit ex illa formaliter praedefinita gratia efficaci, qua Deus illam voluntatem suam exsequitur, qua vult absolute et efficaciter Ecclesiam etiam subiective qua totam indefectibiliter sanctam; et quatenus tali pia oratione vere augetur "thesaurus Ecclesiae", qui dicitur, quique nec coarctari debet ad satisfactiones pro reatibus poenae praestandas.

b) Geschieht das Gebet tatsächlich im Gnadenstand, kann es (zweitens) *opus operantis Ecclesiae* genannt werden, insofern (obwohl wir dies für ein konkretes Gebet nicht mit absoluter Sicherheit feststellen können) dieses Gebet (das immer – mindestens einschlußweise – für alle in der Kirche bittet) aus jener formal prädefinierten wirksamen Gnade hervorgeht, mit der Gott seinen Willen ausführt, mit dem er absolut und wirksam die Kirche als ganze auch subjektiv unfehlbar heilig will; und insofern durch ein solches frommes Gebet der sogenannte „Kirchenschatz" vermehrt wird, der nicht auf Genugtuungen eingeengt werden darf, die für Strafreate zu leisten sind.

Cavendum, igitur est, ne, provocando ad terminum: "opus operantis Ecclesiae", vindicetur orationi, iam ex sola deputatione Ecclesiae aliquis valor verus coram Deo, qui reapse non convenit nisi orationi in gratia factae, quippe cum etiam in hac parte non sit confundendum signum rei (i.e. oratio impia, licet dici ex parte possit opus

Man muß sich also davor hüten, unter Berufung auf den Terminus *opus operantis Ecclesiae* dem Gebet schon allein von der kirchlichen Beauftragung der einen wahren und eigentlichen Wert vor Gott zuzuschreiben, der in Wirklichkeit nur dem in Gnade verrichteten Gebet zukommt, da ja auch hier das Zeichen der Sache (d. h.

operantis Ecclesiae) cum re significata ipsa (i.e. cum oratione in gratia facta, sive haec fit "nomine Ecclesiae hierarchicae" eam mandantis, sive ut oratio "privata").

das unfromme Gebet, wenn es auch teilweise *opus operantis Ecclesiae* genannt werden kann) nicht mit der bezeichneten Sache selbst verwechselt werden darf: d. h. mit dem im Gnadenstand verrichteten Gebet, sei es, daß dies „im Namen der hierarchischen Kirche" geschieht, die es befiehlt, sei es als „Privatgebet".

10. De recitatione "Divini Officii" in specie.

10. Über das Breviergebet im besonderen

Id quod modo diximus, valet etiam de recitatione "Divini Officii". Si et inquantum christifidelis "Divinum Officium" in statu gratiae constitutus pie persolvit, orat etiam absque speciali mandato in Ecclesia, cum Ecclesia et pro Ecclesia et ponit actum, qui certo iure actus Ecclesiae (ut corporis Christi mystici) dici potest. Id valet a fortiori de recitatione Divini Officii in communi etiam sine speciali delegatione a parte Ecclesiae hierarchicae. Explicita authorizatio a parte Ecclesiae addit quidem tali recitationi rationem actus Ecclesiae etiam in ordine <u>visibilis societatis</u>, sed haec ratio nec primo constituit orationem actum Ecclesiae nec ei sublimiorem characterem attribuit quam illum, qui ei ex coniunctione cum Christo in gratia convenit.

Das Gesagte gilt auch für die Verrichtung des Breviergebetes. Wenn und insofern der Christgläubige das Breviergebet im Stand der Gnade fromm verrichtet, betet er auch ohne besonderen Auftrag in, mit und für die Kirche und setzt einen Akt, der mit Recht Akt der Kirche (als des mystischen Leibes Christi) genannt werden kann. Das gilt *a fortiori* vom gemeinsam verrichteten Breviergebet auch ohne besondere Beauftragung seitens der hierarchischen Kirche. Die ausdrückliche Bevollmächtigung der Kirche verleiht dieser Verrichtung zusätzlich die Qualifikation „Akt der Kirche" auch in der Dimension der <u>sichtbaren Gesellschaft</u> der Kirche; aber diese Qualifikation macht weder in erster Linie das Gebet zum Akt der Kirche, noch verleiht es ihm einen höheren Wert als jenen, der ihm aus der Verbindung mit Christus in der Gnade zukommt. Daher fügt der Auftrag zum Breviergebet seitens der kirchlichen Autorität – diese Delegierung besteht bei den Trägern der hoheren Weihen und bei (vielen) Religiösen – diesem Gebet eine Verpflichtung hinzu, verändert oder steigert die innerste Natur dieses Gebetes aber nicht im eigentlichen Sinn.

Hinc delegatio per auctoritatem Ecclesiae ad recitationem Divini Officii, qualis delegatio existit in ordinatis ordine maiore et in (multis) religiosis, addit quidem huic orationi obligationem, sed non mutat aut auget sensu proprio intimam naturam huius orationis.

Quapropter ibi necessario non est addenda talis expressa delegatio, ubi nova obligatio de facto imponi non potest aut ideo non expedit eam imponere, quia inde, crebrior aut intensior oratio sperari nequit.

Daher braucht dort nicht notwendig eine solche ausdrückliche Delegation hinzugefügt werden, wo eine neue Verpflichtung faktisch nicht auferlegt werden kann oder sich nicht empfiehlt, weil sich von daher ein häufigeres oder intensiveres Gebet nicht erhoffen laßt.

11. De Missa nomine Ecclesiae totius celebrata.

11. Über die im Namen der ganzen Kirche gefeierte Messe

Semper in Ecclesia habebatur fidei doctrina omne Missae Sacrificium (etiam Missam, quae dici solet "privata") esse actum culticum Ecclesiae et non alicuius personae privatae solius (v.gr. ipsius sacerdotis ut singularis et privatae personae). Sed quaeritur, quo sensu accuratiore id sit intelligendum. Patet primo omnem actum culticum cuiuscumque membri Ecclesiae in gratia constituti esse opus meritorium, quod cedit in bonum ponentis hunc actum (per augmentum gratiae), et hinc simul cedere in bonum totius corporis Christi mystici.

In der Kirche gab es immer die Glaubenslehre, daß jedes Meßopfer (auch die sogenannte „Privatmesse") ein kultischer Akt der Kirche und nicht irgendeiner Privatperson allein sei (z. B. des Priesters selbst als einzelner und privater Person). Aber es ist fraglich, in welchem genaueren Sinn dies zu verstehen sei. Zunächst ist offensichtlich, daß jeder kultische Akt jedes Gliedes der Kirche, das im Stande der Gnade ist, ein verdienstliches Werk ist, das dem segensreich ist, der diesen Akt setzt (durch Vermehrung der Gnade), und von daher zugleich dem ganzen mystischen Leib zum Guten gereicht.

Patet insuper ex assistentia Missae provenire (ex opere operato) assistenti gratias actuales, quibus praesertim ipse actus culticus huius assistentis quoad suam dignitatem et meritum supernaturale crescit.

Außerdem ist klar, daß dem die Messe Mitfeiernden aus seiner Mitfeier der Messe *ex opere operato* aktuelle Gnaden zukommen, durch die der kultische Akt dieses Assistierenden selbst hinsichtlich seiner Würde und seines übernatürlichen Verdienstes wächst. Um so mehr ist dies zu sagen von den kultischen Akten derer, die

Hinc a fortiori haec dicenda sunt de actibus culticis eorum, qui una ad idem sacrificium celebrandum coadunati istis actibus offerunt determinatum Missae Sacrificium.
Si et inquantum ab hoc valore et effectu (etiam "sociali") Missae uniuscuiusque abstrahimus, non dicendum est singulis Missis gigni novum "valorem", qui distinguitur ab illo infinito valore unius Sacrificii cruenti Crucis,

zugleich zur Feier desselben Opfers vereint sind und durch jene Akte ein bestimmtes Meßopfer darbringen. Wenn und insofern wir von diesem Wert und dieser Wirkung (auch der „sozialen") jeder Messe absehen, darf man nicht sagen, daß durch die einzelnen Messen ein neuer „Wert" entsteht, der sich unterscheidet von

qui per Missam repraesentatur (i.e. in ea continetur), offerendo a fidelibus coram Deo quasi sistitur et cuius vis et virtus ab ipso Deo fidelibus sacrum litantibus tamquam "gratia oblata" praebetur et in eis effectus suos "secundos" obtinet, si et inquantum fideles sua (crescente) dispositione horum effectuum capaces sunt.

Licet enim Missae Sacrificia sint totidem actus Christi ipsius[15], inquantum is in Coena ut Summus Sacerdos Ecclesiam delegavit, ut Ecclesia suo proprio (Christi) nomine Christum ritu liturgico Patri offerret, Christus in caelo glorificatus in Missa non physice novos ponit actus, qui multiplicatis sacrificiis liturgicis multiplicarentur.

Hinc respectu actus Christi meritorii et redemptorii et Deum glorificantis valor Missae non additur valori sacrificii cruenti, sed Missa hunc praecise unicum et infinitum valorem Deo exhibet et hominibus applicat.

Si et inquantum novus valor Missae accedit, qui toti Ecclesiae prodest, iste valor provenit ex actibus oblationis, prout sunt actus et sacerdotis Missam meritorie celebrantis et Missae assistentium.

Isti enim actus sunt Deum glorificantes, prout hi ex una parte ex virtute sacrificii Crucis Christi proveniunt et ex altera parte distincti sunt ab actu Christi in Cruce in aeternum Deo Patri

jenem unendlichen Wert des einen blutigen Kreuzesopfers, der durch die Messe gegenwärtig gesetzt wird, d. h. in ihr enthalten ist, von der Kirche im Opfer durch die feiernden Gläubigen gleichsam vor Gott hingestellt wird, dessen Kraft von Gott den Gläubigen, die die Messe feiern, als Gnade angeboten wird und in ihnen seine tatsächlichen Wirkungen ‚in actu secundo' ausübt, wenn und in dem Maße die Gläubigen durch ihre (wachsende) Disposition dieser Wirkungen fähig sind. Obwohl nämlich die einzelnen Meßopfer ebensoviele Akte Christi selbst sind[17], insofern dieser beim Abendmahl als Hoherpriester die Kirche beauftragte, in seinem eigenen (Christi) Namen Christus durch einen liturgischen Akt dem Vater aufzuopfern, setzt der im Himmel verklärte Christus in der Messe nicht physisch neue Akte, die durch multiplizierte liturgische Opfer der Kirche multipliziert werden. Also wird hinsichtlich des verdienstlichen, erlösenden und Gott verherrlichenden Aktes Christi der Wert der Messe nicht dem Wert des blutigen Opfers hinzugefügt, sondern die Messe bietet eben diesen einzigen und unendlichen Wert Gott dar und wendet ihn den Menschen zu. Wenn und insofern zusätzlich ein neuer Wert der Messe hinzukommt, der der ganzen Kirche nützt, kommt jener Wert aus den Akten der Aufopferung, insofern sie Akte sowohl des Priesters, der die Messe verdienstlich feiert, als auch der bei der Messe Anwesenden sind. Dies sind nämlich Akte, die Gott verherrlichen, insofern sie einerseits aus der Kraft des Opfers des Kreuzes Christi hervorgehen und anderseits vom Akt Christi am Kreuz verschieden

exhibito et propterea revera augentur numero Missarum. Inquantum sunt actus supernaturaliter meritorii <u>aliquorum</u>, nempe Missae assistentium, prosunt toti corpori Christi mystico.

Hinc vere omnis Missa cedit in utilitatem totius Ecclesiae. Hic unicus fundamentalis modus est, quo singularis Missa Ecclesiae toti prodest.
Non enim putandum est omnem Missam hoc sensu "nomine totius Ecclesiae" offerri, quasi (*acsi*) <u>tota</u> Ecclesia <u>immediatum</u> subiectum actu offerrens aut fructus Missae percipiens esset.

Valor aeternus et infinitus Sacrificii <u>Crucis</u> <u>immediate</u> et perpetuo respicit <u>omnes</u> homines et maxime baptizatos et ita praesertim <u>totam</u> Ecclesiam; sed hic praecise valor <u>sacramentali</u> modo <u>illis</u> quasi offertur et applicatur, qui huic <u>signo</u> efficaci illius sacrificii cruenti adstant, huic nempe signo determinatum et restrictum locum in spatio et tempore, occupanti.

Sicut sacramentum qua tale (prout distinguitur a re sacramenti, i.e. a gratia) non potest immediate applicari nisi ei, qui huic signo localiter et temporaliter coexistit, sic res se habere dicenda est in sacrificio Missae qua tali, i.e. prout ut signum a re signata (a valore Crucis cruentae) distinguitur. Si in fontibus antiquioribus dicitur Missa offerri nomine Ecclesiae, Ecclesia litare sacrificium Coenae, intelligitur "Ecclesia" <u>localis</u>, ut saepe iam apud Paulum.

sind, der in Ewigkeit Gott dem Vater dargebracht wird; und daher werden diese wirklich durch die Zahl der Messen vermehrt. Insofern sie übernatürlich verdienstliche Akte <u>einiger</u>, namlich der die Messe Feiernden, sind, nützen sie dem ganzen mystischen Leib Christi.
Daher gereicht jede Messe zum Nutzen der gesamten Kirche. Dies ist die einzige grundlegende Art, womit die einzelne Messe der ganzen Kirche nützt. Man darf nämlich nicht meinen, daß jede Messe in diesem Sinn „im Namen der <u>ganzen</u> Kirche" dargebracht wird, als ob die ganze Kirche das <u>unmittelbare</u> Subjekt wäre, das durch den Akt opfert oder die Früchte der Messe empfängt. Der ewige und unendliche Wert des <u>Kreuzesopfers</u> betrifft unmittelbar und dauernd alle Menschen, am meisten die Getauften und so vor allem die ganze Kirche; aber genau dieser Wert wird von <u>jenen</u> auf <u>sakramentale</u> Weise gleichsam dargebracht und jenen zugewendet, die bei diesem wirksamen <u>Zeichen</u> jenes blutigen Opfers anwesend sind, bei jenem Zeichen also, das eine bestimmte und eingegrenzte Stelle in Raum und Zeit einnimmt. Wie das Sakrament als solches (insofern es von der *res sacramenti,* d. h. von der Gnade unterschieden ist) unmittelbar nur dem zugewendet werden kann, der mit diesem Zeichen räumlich und zeitlich koexistiert, so ist auch die Sachlage beim Meßopfer als solchem zu denken, d. h. insofern es als Zeichen von der bezeichneten Sache (vom Wert des Kreuzesopfers selbst) unterschieden wird. Wenn in älteren Quellen gesagt wird, daß die Messe im Namen der Kirche dargebracht werde, daß die Kirche das Mahlopfer feiere, wird

Nam praecise multitudo fidelium determinato sacrificio liturgico adstans[v] seu plebs illa sancta, de qua ut de plebe vere et liturgice adstante loquitur Canon Missae, iure dicitur "Ecclesia", quia haec multitudo id cultu sacro agit, quod est supremus actus, quo a Deo tota Ecclesia donatur[16].

Hinc "hic et nunc" in actione determinatae communitatis Missam celebrantis apparet et historice concretizatur tota Ecclesia. Hoc sensu (praeter illum, de quo iam sermo erat) Ecclesia "tota" celebrat singulas Missas, non ita quasi (acsi) Ecclesia universalis esset immediatum subiectum concretae litationis liturgicae qua talis aut omnia Ecclesiae membra subiecta utilitatis alicuius determinatae aeque immediata et aeque principalia essent ac isti, qui huic Missae vere adstant[v].

Licet[w], uti patet, Missa, prout est actus sacerdotis et communitatis determinatae, Deo placere non posset, si isti offerentes non essent in pace uniti cum vera et visibili Ecclesia catholica aut Missa fieret non consentiente regimine Ecclesiae, haec tamen sunt praerequisitae condiciones Missae legitimae nec constituunt hanc determinatam Missam ut actum, cuius subiectum immediatum activitatis et utilitatis esset ipsa universalis Ecclesia qua talis.

darunter die Orts-„Kirche" verstanden, wie haufig schon bei Paulus. Denn genau die „Menge der Glaäubigen", die ein bestimmtes liturgisches Opfer feiert oder jenes „heilige Volk", von dem als wirklich und liturgisch anwesendem der Kanon der Messe spricht, wird mit Recht „Kirche" genannt, weil diese Menge das in heiligem Kult tut, was der höchste Akt ist, mit dem von Gott die ganze Kirche beschenkt wird[18]. Daher erscheint „hier und jetzt" in der Handlung einer bestimmten Gemeinschaft, die die Messe feiert, die ganze Kirche, und konkretisiert sich in geschichtlicher Greifbarkeit. In diesem Sinn (außer jenem, von dem schon die Rede war) feiert die „ganze" Kirche die einzelnen Messen, nicht so, als ob die gesamte Kirche das unmittelbare Subjekt des konkreten liturgischen Opfers wäre oder alle Glieder der Kirche gleich unmittelbar Nutznießer der Meßfrüchte wären wie jene, die bei einer bestimmten Messe wirklich feiernd anwesend sind.

Adnotationes.

[1] LThK I[2] 256-259: "Akt, relig.", auctore J.B. Metz.

[2] Haec quae hic immediate sequuntur,

[1] LThK I[2] 256-259: „Akt, religiöser" (J. B. Metz).

[2] Was hier unmittelbar folgt, wird nur

adduntur unice, ut principium modo enuntiatum clarius illustretur. Quae ita dicuntur, infra suo loco partim iterum exponi et ulterius applicari debent.

hinzugefügt, um das eben ausgesprochene Prinzip näher zu beleuchten, und soll teilweise später an geeigneter Stelle nochmals dargelegt und weiter angewendet werden.

[2a] Vgl. z. B. H. Noldin - G. Heinzel, Summa Theologiae Moralis II[31], Innsbruck 1957, n. 754. - Wenn in „Mediator Die" (AAS 39 [1947] 532) gesagt wird: *si de ‚Sacramentalibus'... agitur... tum efficacitas habeur potius ex opere operantis Ecclesiae, quatenus ea sancta est atque arctissime cum suo Capite coniuncta operatur*, dann muß in diesem Text zunächst einmal beachtet werden, daß die Wirksamkeit der Sakramentalien auf die Heiligkeit der Kirche zurückgeführt wird, und gefragt werden, welche Heiligkeit hier gemeint sei, die „institutionelle" Heiligkeit der Kirche mit ihren Ämtern und Vollmachten von Christi Stiftung her oder die innere pneumatische, aber ebenso indefektible Heiligkeit der Gesamtkirche, die auch noch hinter dem kultischen Handeln des gottlosen Priesters steht und noch darin ihre kultische Erscheinung hat, oder beides. Es muß auch weiter gefragt werden, welche *efficacitas* genauerhin gemeint sei: die rechtliche Konstitution eines dinglichen Sakramentales bei einer konstitutiven Weihe (ein Meßkelch z. B.) oder die Erhörung eines Gebetes. In diesem zweiten Fall muß wiederum gefragt werden, woher diese Erhörung kommt und wie sie zu erklären ist. Wenn diese Überlegungen als gemacht vorausgesetzt werden, ergibt sich, daß die hier gebotenen Ausführungen mit dem zitierten Text aus der Enzyklika „Mediator Die" sich durchaus in Übereinstimmung wissen dürfen[x].

[3] Abhinc non considerabimus nisi orationem iustificati, illam ergo oratio-

[3] Von jetzt an betrachten wir nur das Gebet des Gerechtfertigten, also das

nem, quae est oratio filii Dei ex gratia, et hinc etiam opus meritorium de condigno, non vero orationem peccatoris factam ex mera gratia habituali fidei et spei aut ex gratia actuali, quae oratio est meritum de congruo.

[4] Etiam veri "valores" v.gr. mandati, delegationis etc. a parte regiminis Ecclesiae, ut tales, sunt valores, qui absolute transcenduntur a dignitate gratiae deificantis, filii Dei etc.

[5] Ita ut indirecte v.gr. haec delegatio a parte regiminis ecclesiastici accedens influat in intensitatem, qua quis suam dignitatem filii Dei actuat in oratione.

[6] Vide supra nr. 3 et infra nr. 8.

[7] D 2319; Litt. Encycl. Mystici Corporis Christi: AAS 35 (1943) 193s.

[8] Evidens est talem casum accidere posse. Sunt enim tales, qui voto baptismi (immo etiam implicito) iustificantur (D 413; 796; 807; 849; 898; 1031; 1677; Epistola S. Officii ad Cardinalem Cushing: American Ecclesiastical Review 77 [1952] 307-311). Confer insuper: Agostino card. Bea, Il cattolico di fronte al problema dell'unione dei cristiani: La Civiltà Cattolica 112, 1 (1961) 113-129.

[9] D 1794.

[10] Cf. CIC can. 1257; D 2298; Litt, Encycl. "Mediator Dei"; vide de hac re: A. Stenzel, Cultus publicus: Ein Beitrag zum Begriff und ekklesiologischen Ort der Liturgie: ZkTh 75 (1953) 174-214; Cyprian Vagaggini, Theologie der Liturgie (Einsiedeln 1959) 28ss; J. A, Jungmann, Der Gottesdienst der Kirche (Innsbruck 1955) 1-8; J.H. Miller, Fundamentals of the Liturgy (Notre Dame, Indiana 1960) 24s.

Gebet des begnadeten Gotteskindes, das daher ein *de condigno* verdienstliches Werk ist, und sehen vom Gebet des Sünders ab, das nur aus der habituellen Gnade des Glaubens und der Hoffnung oder aus der aktuellen Gnade geschieht, welches Gebet *de congruo* verdienstlich ist.

[4] Auch wahre „Werte", z. B. eines Auftrags, einer Delegation seitens der kirchlichen Obrigkeit, als solche sind Werte, die absolut von der Würde der vergöttlichenden Gnade, der Gotteskindschaft usw. überragt werden.

[5] So daß indirekt z. B. diese Delegation seitens der kirchlichen Obrigkeit die Intensität beeinflußt, mit der jemand seine Würde der Gotteskindschaft im Gebet vollzieht.

[6] Siehe n. 3; n. 8.

[7] D 2319; Enzyklika „Mystici Corporis": AAS 35 (1943) 193f.

[8] Ein solcher Fall ist augenscheinlich möglich. Es gibt nämlich solche, die durch das (sogar einschlußweise) Votum der Taufe gerechtfertigt werden (D 413; 796; 807; 849; 898; 1031; 1677); Brief des Hl. Offiziums an Kardinal Cushing: American Ecclesiastical Review 77 (1952) 307-311. Vgl. außerdem: A. Card. Bea, Il cattolico di fronte al problema dell'unione dei cristiani: La Civiltà Cattolica 112, 1 (1961) 113-129.

[9] D 1794.

[10] Vgl. CIC can. 1257; D 2298; Enzykl. „Mediator Dei"; siehe dazu: A. Stenzel, Cultus publicus. Ein Beitrag zum Begriff und ekklesiologischen Ort der Liturgie: ZkTh 75 (1953) 174-214; C. Vagaggini, Theologie der Liturgie (Einsiedeln 1959) 28ff; J. A. Jungmann, Der Gottesdienst der Kirche (Innsbruck 1955) 1-8; J. H. Miller, Fundamentals of the Liturgy (Notre Dame, Indiana 1960) 24f.

[11] D 2298

[12] C. Vagaggini, Theologie der Liturgie (Einsiedeln 1959) 86-91; J.H. Miller, Fundamentals of the Liturgy (Notre Dame, Indiana 1960); vide tamen e contra: J.A. Jungmann: ZkTh 83 (1961) 1, Heft.

[13] Praesertim cum signum sacramentale possit esse (v.gr. in extrema unctione) oratio formaliter talis.

[14] Nam ipsum sacramentum tamquam a condicione et a causa materiali in suo effectu secundo dependet a dispositione recipientis, quod negligere reapse saperet aliquem "magicismum" et iure provocaret questus legitimos Protestantium, quos iam respexit Tridentinum (D 741; 797; 799; 849). Id igitur a fortiori dicendum esset, si merae orationi liturgicae vis et efficacia vindicaretur independenter a dispositione orantis.

[15] Cf. v.gr. Pii XII allocutiones die 31.5.1954, et 2.11.1954 habitas: AAS 49 (1954) 313-317; 668-670. Quoad interpretationem horum textuum: K.

[11] D 2298.

[11a] Wobei der Priester wiederum der kultische Repräsentant Christi als des Hauptes der Kirche und so aller Gläubigen ist, sodaß, wo Christus opfert (und die Kirche dieses Opfer darstellt), ein Akt auch der Kirche gegeben ist (Pius XII, „Mediator Dei": AAS 39 [1947] 556). Aber Christus ist eben auf doppelte Weise Haupt der Kirche (durch Gnade und in der sozialen Dimension), und darum wird von dieser Seite her das Gesagte nur bestätigt[y].

[12] AAS 28 (1936) 19: Pius XI. in der Enzyklika „Ad catholici sacerdotii".

[13] AAS 39 (1947) 537: Pius XII. in der Enzyklika „Mediator Dei".

[14] C. Vagaggini, Theologie der Liturgie (Einsiedeln 1959) 86-91; J. H. Miller, Fundamentals of the Liturgy (Notre Dame, Indiana 1960); vgl. dagegen: J. A. Jungmann: ZkTh 83 (1961) 96-99.

[15] Besonders da ein Gebet formal als solches sakramentales Zeichen sein kann (z. B. bei der Krankenölung).

[16] Denn das Sakrament selbst hängt in seiner tatsächlichen Wirkung von der Disposition des Empfangers als von seiner Bedingung und Materialursache ab. Dies zu übersehen klingt nach „Magie" und zöge mit Recht berechtigte Einsprüche der Protestanten nach sich, die schon das Tridentinum berücksichtigte (D 741; 797; 799; 849). Das gälte in verstärktem Maß, wenn dem liturgischen Gebet Kraft und Wirksamkeit unabhängig von der Disposition des Beters zugeschrieben würde.

[17] Vgl. z. B. die Ansprachen Pius XII. von 31. 5. 1954 und 2. 11. 1954: AAS 49 (1954) 313-317; 668-670. Zur Interpretation dieser Texte vgl.: K. Rahner,

Rahner, Die vielen Messen als die Die vielen Messen als die vielen Opfer
vielen Opfer Christi: ZkTh 77 (1955) Christi: ZkTh 77 (1955) 94-101.
94-101.
[16] Cf. K. Rahner, Zur Theologie der [18] Vgl. K. Rahner, Zur Theologie der
Pfarre: H. Rahner, Die Pfarre, Freiburg Pfarre: H. Rahner, Die Pfarre, Freiburg
1956.   1956, 27-39.

Note di confronto tra le due versioni

[a] Il testo tedesco amplifica e specifica il latino « ab intimitate » con « von der Intensität und existentiellen Radikalität ».

[b] Il latino « obiectiva » viene tradotto con oggettiva, ma la parentesi poi specifica che è da intendersi nel senso di materiale, conformemente a quanto si affermerà poco sotto aggettivando con « obiectiva et materialis » la glorificazione esterna.

[c] Il testo tedesco aggiunge qui il participio « liebender ». All'aspetto della libertà e della spontaneità, si vuole aggiungere quello dell'amore.

[d] Qui « rationalis » è tradotto con il termine « geistbegabtes », che nel corso dell'articolo è utilizzato a volte per tradurre anche l'aggettivo « spiritualis ».

[e] Nella versione tedesca il contenuto della parentesi è confluito nella nota 2a.

[f] Il latino trova la sua corrispondenza nell'inciso « heiligmachende oder wenigstens übernatürliche aktuelle », che però scompare nella seconda edizione dell'articolo, apparsa nel quinto volume degli *Schriften zur Theologie* (Einsiedeln, 1962).

[g] La parentesi, aggiunta nella versione tedesca « Haupt- oder Erstzwecke », serve a specificare che i fini principali a cui si fa riferimento, devono intendersi come "primari".

[h] L'avverbio latino « infallibiliter » è reso con « überall (dappertutto) », non con il corrispondente tedesco « unfehlbar », spostando così l'accendo dall'aspetto temporale « semper et infallibiliter » a quello spaziale « immer und überall » riguardo alla presenza di uomini che pregano con la preghiera imposta dalla Chiesa. Nelle due versioni si vuole affermare la certezza che comunque e in ogni tempo vi saranno uomini che pregano con l'orazione della Chiesa in stato di grazia.

[i] La versione tedesca sembra preferire il termine più ecumenico di "comunità" (Gemeinschaft) rispetto al latino "secta".

[j] All'aumento della grazia, la versione tedesca aggiunge anche il conferimento (Erteilung) della stessa.

[k] Non tradotto.

[l] In questo paragrafo con il participio « heiligmachend » si traduce sia « deificans » che « sanctificans » riferito alla grazia. Si lascia così intendere che la grazia santificante è da leggersi nel senso di deificazione.

[m] Non tradotto.

[n] Il contenuto della parentesi non compare in tedesco.

[o] Come sopra.

P Il termine « mandatum » è ampliato in riferimento non solo al comando, ma anche all'incarico (deputazione) che la Chiesa assegna.

q La versione tedesca anticipa, attraverso il rimando a D 1794, il riferimento alla Costituzione dogmatica *Dei Filius* del Concilio Vaticano I, poi presente anche nella nota 9: « Quin etiam Ecclesia per se ipsa... Est motivum credibilitatis et divinae suae legationis testimonium irrefragabile ».

r Il testo tra parentesi è confluito nella nota 12.

s Il testo tra parentesi è confluito nella nota 13.

t In tedesco la parentesi viene resa con l'aggettivo composito « amtlich-liturgisch ».

u La parentesi: « weil er eine Gnadenwirkung... » è stata aggiunta nell'edizione tedesca.

v È qui di un certo interesse notare che il participio latino « adstans », oltre che con il corrispondente tedesco « anwesend », viene reso anche con il verbo « feiert ». Ciò lascia pensare che la moltidudine dei fedeli non solo è "presente", ma questa presenza è da interpretarsi come essere soggetto della celebrazione, proprio come indica una simile espressione della preghiera eucaristica II: « astare coram te et tibi ministare ».

w Questo ultimo paragrafo non compare più nella versionte tedesca.

x Nel testo latino non compare questa nota, aggiunta nella edizione in lingua tedesca del 1961. Nella successiva versione dell'articolo, comparsa l'anno successivo nel quinto volume degli *Schriften zur Theologie*, la nota viene definitivamente tolta.

y Come sopra.

BIBLIOGRAFIA

1. Documenti, fonti, diari

A. BUGNINI, « *Liturgiae cultor et amator* ». *Servì la Chiesa. Memorie autobiografiche*, CLV–Edizioni Liturgiche, Roma, 2012.

V. CARBONE, *Il "Diario" conciliare di Monsignor Pericle Felici Segretario Generale del Concilio Ecumenico Vaticano II*, Libreria Editrice Vaticana, Città del Vaticano, 2015.

Catechismo della Chiesa Cattolica, Libreria Editrice Vaticana, Città del Vaticano, 1992.

Y. CONGAR, *Diario del Concilio*, San Paolo, Cinisello Balsamo, 2005.

EREMITI CAMALDOLESI DI MONTECORONA (a cura), *Un eremita al servizio della Chiesa. Il Libellus ad Leonem X e altri opuscoli*, San Paolo, Cinisello Balsamo, 2012.

A. LAMERI, *La « Pontificia Commissio de sacra liturgia praeparatoria Concilii Vaticani II ». Documenti, Testi, Verbali*, CLV–Edizioni Liturgiche, Roma, 2013 (= *Bibliotheca « Ephemerides Liturgicae » « Subsidia »* 168).

H. DE LUBAC, *Quaderni del Concilio*, Jaca Book, Milano, 2009.

PIO X, "Tra le sollecitudini", in A. BUGNINI, *Documenta pontificia ad instaurationem liturgicam spectantia* (1903-1953), Edizioni Liturgiche, Roma 1953, pp. 10-26.

PIO XII, Lettera Enciclica *Mediator Dei*, 20 novembre 1947, in *AAS* 39 (1947) 521-600 (Traduzione italiana in: *Enchiridion delle encicliche 6. Pio XII [1939–1958]*, Edizioni bilingue, EDB, Bologna, 1995, nn. 430-632).

PONTIFICIA COMMISSIO CENTRALIS PRAEPARATORIA CONCILII VATICANI II, "Quaestiones de sacra Liturgia. Schema Constitutionis de sacra Liturgia a Commissione liturgica propositum Em.mo ac Rev.mo Domino Cardinali Commissionis Praeside Relatore", in *Acta et documenta Concilio Oecumenico Vaticano II apparando*. Series II (Praeparatoria). Vol. III Acta Commissionum et Secretariatuum praeparatoriorum Concilii Oecumenici Vaticani II. Pars II. Typis Pol. Vat. 1969, pp. 9-68.

SACRA CONGREGATIO RITUUM, "Instructio de Musica sacra et sacra Liturgia", in *AAS* 50 (1958) 630-663.

SACRA CONGREGATIO RITUUM, "Rubricae Breviarii et Missalis Romani", in *AAS* 52 (1960) 597-685.

A. VON TEUFFENBACH (Herausgegeben), *Sebastian Tromp S.J. Konzilstagebuch mit Erläuterungen und Akten aus der Arbeit der Theologischen Kommission. II. Vatikanisches Konzil*, Bd. I/1 und I/2 (1960-1962), Pontificia Università Gregoriana, Roma, 2006.

M. VELATI, *Dialogo e rinnovamento. Verbali e testi del segretariato per l'unità dei cristiani nella preparazione del concilio Vaticano II (1960-1962)*, il Mulino, Bologna, 2011.

2. Studi, articoli, contributi vari

L. BEAUDUIN, "La vraie prière de l'Église", in *Malines 23-26 septembre 1909, Congrès catholique, Ve Section, Oeuvres scientiphiques, artistiques et litteraires*, Goemare, Bruxelles [senza data].

B. BOTTE, *Il Movimento liturgico. Testimonianza e ricordi*, Effatà editrice, Cantalupa, 2009.

F. BROVELLI, (a cura), *Ritorno alla liturgia. Saggi di studio sul movimento liturgico*, CLV–Edizioni Liturgiche, Roma, 1989 (= *Bibliotheca « Ephemerides Liturgicae » « Subsidia »* 47; *Studi di Liturgia* 18).

—, *Liturgia: temi e autori. Saggi di studio sul movimento liturgico*, CLV–Edizioni Liturgiche, Roma, 1990 (= *Bibliotheca « Ephemerides Liturgicae » « Subsidia »* 53; *Studi di Liturgia* 20).

G. CAVAGNOLI, "La partecipazione attiva", in *Rivista di pastorale liturgica* 228 (2001/5) 26-36.

Y. CONGAR, "Structure du sacerdoce chrétien", in *LMD* 27 (1951) 51-87.

—, *Jalons pour une théologie du laïcat*, du Cerf, Paris, 1953.

—, "L'Ecclesia ou communauté chrétienne, sujet intégral de l'action liturgique", in *La liturgie après Vatican II*, du Cerf, Paris, 1967, pp. 241-282.

CONGREGAZIONE PER IL CULTO DIVINO (a cura), *Costituzione liturgica « Sacrosanctum Concilium »*. *Studi*, CLV–Edizioni Liturgiche, Roma, 1986 (= *Bibliotheca « Ephemerides Liturgicae » « Subsidia »* 38).

R. GUARDINI, *Lo spirito della liturgia*, Morcelliana, Brescia, 1980³.

A. LAMERI, *L'attività di promozione liturgica dell'opera della regalità (1931-1945). Contributo allo studio del movimento liturgico italiano*, Ed. OR, Milano, 1992.

—, *"Ordo lectionum*: un documento inedito della fase preparatoria al Concilio", in *CVII Studi e ricerche*, 6 (2012), n. 2, pp. 121-132.

—, "L'esordio dei lavori della « Pontificia Commissio de Sacra Liturgia praeparatoria Concilii Vaticani II »", in *Cristianesimo nella storia* 34 (2013) 131-159.

—, "Il contesto storico, teologico e pastorale in cui nasce la costituzione liturgica", in *Culmine e fonte*, 2014/1, pp. 4-9.

—, "La redazione del testo di Sacrosanctum Concilium: la fase preparatoria", in J.M. FERRER GRENESCHE, *"Sacrosanctum Concilium". Gratitudine e impegno per un grande movimento di comunione ecclesiale*, Libreria Editrice Vaticana, Città del Vaticano, 2015, pp. 61-80.

A.-G. MARTIMORT, "L'assemblée liturgique", in *LMD* 20 (1949) 153-175.

—, "L'assemblée liturgique, mystère du Christ", in *LMD* 40 (1954) 5-29.

—, "Précisions sur l'assemblée", in *LMD* 60 (1959) 7-34.

—, "Dimanche, assemblée et paroisse", in *LMD* 60 (1959) 55-84.

—, *La Chiesa in preghiera. Introduzione alla liturgia*, Desclée, Roma – Parigi, 1963.

E. MAZZA, "La partecipazione attiva alla liturgia. Dalla *Mediator Dei* alla *Sacrosanctum Concilium*", in *Ecclesia Orans* 30 (2013) 315-316.

A. PARATI, *Pionieri del movimento liturgico. Cenni storici*, Libreria Editrice Vaticana, Città del Vaticano, 2004.

F. RAINOLDI, *Traditio canendi. Appunti per una storia dei riti cristiani cantati*, CLV–Edizioni Liturgiche, Roma, 2000 (= *Bibliotheca « Ephemerides Liturgicae » « Subsidia »* 106; *Studi di Liturgia* 38).

A. ROSMINI, *Delle cinque piaghe della santa Chiesa*, Testo ricostruito nella forma ultima voluta dall'Autore con un saggio introduttivo e note di NUNZIO GALANTINO, San Paolo, Cinisello Balsamo, 1997.

O. ROUSSEAU, *Storia del movimento liturgico. Lineamenti storici dagli inizi del secolo XIX ad oggi*, Paoline, Roma, 1961.

H. SCHMIDT, *Constitution de la sainte liturgie. Texte – Genèse – Commentaire – Documents*, Editions Lumen Vitae, Bruxelles, 1966.

G. STELLA, "Il pensiero religioso di P. Giulio Bevilacqua", in C. GHIDELLI (a cura), *Teologia, liturgia, storia. Miscellanea in onore di Carlo Manziana Vescovo di Crema*, La Scuola – Morcelliana, Brescia, 1977, pp. 411-450.

A. VON TEUFFENBACH, "La Commissione teologica preparatoria del Concilio Vaticano II", in *Anuario de Historia de la Iglesia* 21 (2012) 219-243.

F. TROLESE (a cura), *La liturgia nel XX secolo: un bilancio*, EMP, Padova, 2006.

H. VORGRIMEL (herausgegeben), *Sämtlichen Werken K. Rahners*, Band 14 „Christliches Leben Aufsätze - Betrachtungen – Predigten", Herder, Freiburg im Breisgau, 2006.

INDICE DEI NOMI E DEGLI AUTORI

I numeri rimandano alla pagina, i numeri in esponente alle note

INDICE

Pag.

DOCUMENTI